SOPHIE A
LE COUP DE FOUDRE

65

SOPHIE A LE COUP DE FOUDRE

Quatre gardiennes fondent leur club

Ann M. Martin

Adapté de l'américain par
Lucie Duchesne

Données de catalogage avant publication (Canada)

Martin, Ann M., 1955-

(Le Club des baby-sitters ; 65)
Traduction de : Stacey's Big Crush
Pour les jeunes de 8 à 12 ans.

ISBN : 2-7625-8479-5

I. Titre. II. Collection : Martin, Ann M., 1955-
Les baby-sitters, 65.

PZ23.M37Dii 1996 j813'.54 C96-940546-4

Conception graphique de la couverture : Jocelyn Veillette
Mise en page : Geneviève Ouellet

Dépôts légaux : 3e trimestre 1996
Bibliothèque nationale du Québec
Bibliothèque nationale du Canada

ISBN : 2-7625-8479-5 Imprimé au Canada

LES ÉDITIONS HÉRITAGE INC.
300, rue Arran, Saint-Lambert (Québec) J4R 1K5
Téléphone : (514) 875-0327
Télécopieur : (514) 672-5448
Courrier électronique : heritage@mlink.net

L'auteure remercie chaleureusement Peter Lerangis pour son aide lors de la préparation de ce livre.

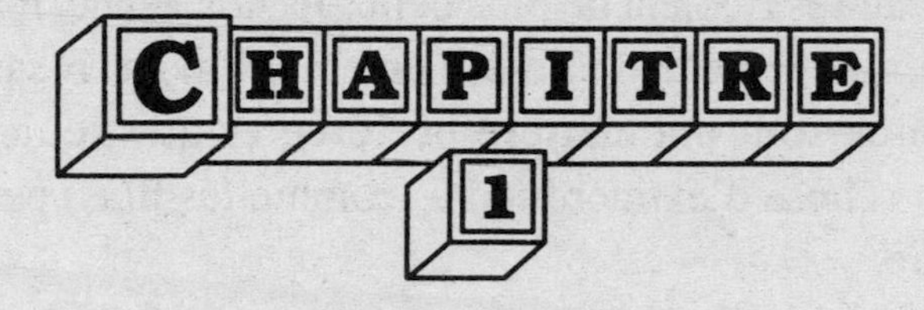

J'adore le parfum du lilas.

— Si x = 4...

Mais il devrait y avoir une loi qui interdise d'en faire pousser près d'une école.

— ... alors trouver la valeur de...

Surtout près d'une classe de maths dont les fenêtres sont ouvertes. Comme *ma* classe de maths.

Monsieur Béland nous donne un problème oral. D'habitude, je suis très attentive, parce que j'aime les maths. Vraiment. Mais avec la brise qui entre dans la classe et cette senteur enivrante, je suis distraite.

— Sophie ?

Ouille ! Je n'ai aucune idée de ce que monsieur Béland vient de dire. Je regarde mon cahier, en espérant trouver un indice. J'ai l'impression d'être une parfaite idiote.

— Heu... la valeur de quoi ?

— La valeur de y, répond-il.

— Y ?

— Pourquoi pas ? lance un garçon du fond de la classe, et tous les élèves éclatent de rire.

— Sophie Ménard, dit monsieur Béland, quand tu t'es mise à rêvasser, j'ai su que c'était le printemps.

Les autres rigolent de plus belle. Je suis gênée, mais en fait, monsieur Béland m'a fait un compliment. Il sait que les maths sont ma matière préférée et que seulement quelque chose d'extraordinaire (comme les lilas) peut me distraire.

En fait, les lilas sont presque une nouveauté pour moi. Là où j'habitais, au centre-ville de Toronto, il y en avait très peu. On en trouvait des bouquets dans les marchés ouverts, mais comme ils étaient déjà coupés, leur parfum s'était presque évaporé. Je m'ennuie beaucoup de Toronto, mais Nouville sent décidément meilleur à cette époque de l'année.

Je suis une Torontoise dans l'âme. Je suis fille unique, et mes parents m'amenaient partout — au théâtre, au restaurant, au musée, au concert, aux festivals, etc. J'étais très à l'aise à Toronto, même si c'est une grande ville où la vie n'est pas toujours facile. Enfin, un jour, l'entreprise pour laquelle mon père travaille l'a muté à Nouville.

Pour moi, Nouville, c'était comme la campagne. En fait, c'est une petite ville tranquille, par rapport à Toronto, mais c'est aussi l'endroit où habitent mes meilleures amies, les membres du Club des baby-sitters (je vous en reparlerai plus tard).

L'an dernier, je venais tout juste de m'adapter à Nouville et me faire de vraies amies, quand l'entreprise de mon père l'a rappelé à Toronto. J'étais triste de les quitter, mais heureuse aussi de retrouver mon ancien quartier et mes anciennes amies.

Pourtant, ce plaisir a été de courte durée. Mes parents se disputaient depuis quelque temps, et les discussions sont devenues de véritables affrontements. Ils ont fini par divorcer.

Je m'y attendais, mais ç'a été tout un choc. Le pire, c'est que mon père a décidé de rester à Toronto et que ma mère a choisi de revenir à Nouville. Et mes parents m'ont demandé de choisir où je voulais habiter. Je me sentais prise entre deux feux, comme s'ils voulaient savoir qui j'aimais le plus. J'ai longuement réfléchi (et beaucoup pleuré), et nous en sommes arrivés à un compromis. Je demeure à Nouville avec maman, mais je peux aller à Toronto quand je veux (ce n'est qu'à quelques heures de train).

Alors voilà. Maman et moi vivons dans une jolie petite maison. Le divorce ne semble plus causer de problèmes. (Au moins, mes parents ne se disputent plus.) Papa paie la pension alimentaire et sa part de mes dépenses, et maman est devenue responsable des achats dans un grand magasin de Nouville.

Le problème, c'est que pendant un certain temps mes parents ne m'ont pas rendu la vie facile. Ils se servaient de moi comme intermédiaire pour régler leurs différends. Et, dernièrement, maman est tombée malade la même fin de semaine où mon père tenait à ce que j'aille à Toronto pour une cérémonie en son honneur. Mais je voulais en même temps m'occuper de maman. Toujours est-il que j'ai chambardé l'horaire des « bénévoles » qui se remplaçaient auprès de ma mère en mon absence, j'ai écourté mon séjour à Toronto (papa n'était pas content du tout), et je suis revenue complètement vannée.

Alors, j'ai réfléchi et je me suis rendu compte que j'essayais d'en faire trop à la fois. J'ai longuement discuté avec ma mère, qui m'a dit que je devais d'abord m'occuper de moi. Depuis, ça va mieux.

C'est étrange de voir combien un divorce complique la vie de tout le monde.

Mais où en étais-je ? Ah ! oui. Les lilas et les maths. Les maths...

Monsieur Béland répète le problème à résoudre, et je lance :

— Vingt et un !

— Bon retour sur terre ! me dit monsieur Béland en souriant.

Il nous propose d'autres problèmes, puis se rend compte que tous les élèves sont fatigués.

— Bon, je crois que c'est assez pour aujourd'hui, annonce-t-il.

Toute la classe est soulagée. Monsieur Béland est très compréhensif, et il réussit à faire aimer les maths, ce qui n'est pas toujours facile. (De plus, il m'a déjà dit que j'étais sa meilleure élève !) Alors, imaginez ma réaction lorsqu'il poursuit.

— Si je termine un petit peu plus tôt, c'est parce que j'ai quelque chose d'important à vous communiquer. Demain, c'est ma dernière journée de cours.

Nous le regardons avec curiosité.

— Oui. Dans le cadre du programme de formation des maîtres, on organise des stages pour les futurs enseignants. C'est pourquoi ce n'est pas moi qui donnerai le dernier mois de classe.

La plupart d'entre nous protestons, et je me rends compte que monsieur Béland ne s'attendait pas à cette réaction. Il se force à sourire.

— Je vais m'ennuyer de vous, moi aussi, ajoute-t-il. Mais je serai là pour l'examen final et je viendrai de temps en temps en classe pour superviser...

— Nous ou elle ? demande un élève.

— Les deux, répond-il en riant. Et ce n'est pas une stagiaire, mais un stagiaire. C'est monsieur Émond, et j'espère que vous ne lui donnerez pas de fil à retordre. Ces semaines sont cruciales. Monsieur Émond va terminer le programme et vous préparer pour l'examen.

Monsieur Émond ? Ça ne me dit rien qui vaille.

La cloche sonne, et je soupire. Je prends mes livres et je me dirige vers la sortie. Monsieur Béland me sourit.

— Ne fais pas cette tête, me dit-il. Je suis sûr que tu continueras à avoir d'aussi bons résultats, Sophie. Et Bertrand Émond est un excellent enseignant. Je lui ai fait passer une entrevue.

— Merci, dis-je. Alors à demain.

— Bien sûr !

C'est gentil de sa part de me rassurer. Mais ce ne sont pas mes notes qui m'inquiètent. C'est tout simplement que je trouve pénible de perdre mon professeur préféré, voilà tout.

De plus, les élèves de la classe n'ont jamais été gentils pour les remplaçants. Avec la dernière qu'on a eue, ç'a été catastrophique. Un des élèves, René, a passé toute une période à parler volontairement avec un bizarre accent étranger. La pauvre remplaçante lui répondait très lentement, en articulant exagérément. Elle croyait que la classe riait de l'élève, et non pas d'elle. Et chaque fois qu'elle avait le dos tourné, un autre lançait des stylos au plafond en essayant de les planter dans les tuiles acoustiques. À la fin de la période, il a calmement grimpé sur son bureau et a récupéré ses stylos, pendant que René s'avançait vers le prof pour lui dire, dans un français impeccable :

— Merci. J'ai vraiment adoré votre cours.

Mais je n'ai pas raconté ça à monsieur Béland. Alors, il faut que je me fasse à l'idée. Un mois, c'est vite passé.

Monsieur Bertrand Émond. Je le plains déjà.

Comme la période de maths est la dernière de la journée, je vais à mon casier, je prends mes affaires et je sors de l'école.

Claudia Kishi m'attend à la porte. Claudia est ma meilleure amie.

— Salut ! disons-nous en même temps.

Elle remarque immédiatement que quelque chose ne va pas.

— Qu'est-ce qui se passe ?

Je l'informe du départ de monsieur Béland. Claudia m'écoute en hochant la tête, et je constate que mon problème lui semble un peu exagéré.

— De toute façon, dit-elle en haussant les épaules, tu es obligée de continuer à faire des maths.

Pour Claudia, suivre un cours de mathématiques est comme prendre un médicament. Il faut le faire le temps qu'il faut, et la façon de le faire n'a aucune importance.

La porte s'ouvre, et Diane Dubreuil et Anne-Marie Lapierre nous rejoignent.

— Sophie est complètement assommée, annonce Claudia d'un ton sinistre. Son prof de maths s'en va.

— Oh ! fait Diane.

— Mon Dieu ! ajoute Anne-Marie.

— Le nouveau s'appelle Bertrand Eh-mon-Dieu, poursuit Claudia.

— Claudia ! dis-je en ne pouvant réprimer un éclat de rire. C'est Bertrand Émond.

— De qui parlez-vous ? demande Christine Thomas, qui vient d'arriver avec Jessie Raymond et Marjorie Picard.

— Le nouveau prof de maths de Sophie, répond Claudia.

— Tu l'aimes ? demande Marjorie.

— Mais je ne sais pas, dis-je. Il n'est pas encore arrivé. On verra bien.

Claudia explique aux autres ce que je lui ai raconté. Les autres, au fait, sont les autres membres réguliers du Club des baby-sitters, ou CBS. Nous nous retrouvons souvent toutes les sept après l'école, même si nous avons parfois une réunion *officielle* plus tard.

L'autobus de Christine arrive, et elle court pour ne pas le manquer. Elle est la seule de notre groupe à habiter trop loin pour rentrer chez elle à pied.

— On se revoit à dix-sept heures trente ! lance-t-elle.

(Dix-sept heures trente est l'heure régulière de nos réunions du Club.)

Nous discutons un moment de la Danse du Printemps qui aura lieu à la fin du mois. Jessie nous laisse, car elle doit aller garder, et Marjorie a un rendez-vous chez l'orthodontiste.

Anne-Marie, Diane, Claudia et moi rentrons ensemble. Chaque fois que nous approchons d'un lilas en fleurs, nous respirons à pleins poumons en souriant.

Lorsque j'arrive chez moi, le parfum des lilas, le soleil et la brise fraîche m'ont rendue incroyablement romantique. Anne-Marie est allée chez son ami, et j'aimerais bien être à sa place. Pas pour aller chez son ami, mais pour avoir un ami moi aussi. Ça doit être l'effet du printemps.

Ne vous méprenez pas. Ce n'est pas que je ne suis jamais sortie avec un garçon. J'ai déjà eu des amis et, techniquement, Sébastien Thomas (le frère aîné de Christine) et moi sortons ensemble. C'est mon ami, on s'entend à merveille, mais on n'est pas vraiment amoureux. De plus, depuis quelques semaines, on s'est un peu perdu de vue. C'est triste.

J'ouvre la porte de chez moi. Ça me fait toujours drôle d'entrer dans une maison vide. Je me précipite vers le téléphone, mais au lieu d'appeler Sébastien, je compose le numéro du bureau de maman.

— Bonjour ! C'est moi !

— Ah ! bonjour, ma chérie. Ça va ?

— Oui, et toi ?

— Je suis très occupée. Il faut faire les commandes de maillots de bain dès maintenant. Je ne peux pas te parler longtemps, parce que j'ai un client au bout du fil. Je te rappelle ?

— Bien sûr, dis-je. À plus tard.

— Au revoir.

Je me sens seule. Je vais dans la cuisine et je prends une pêche et du fromage. Pendant un moment, je donnerais n'importe quoi pour manger plutôt du chocolat. Mais c'est hors de question. Je ne suis pas de diète pour maigrir. En fait, si je dois surveiller mon alimentation, c'est parce que je suis diabétique. Cela veut dire que mon organisme ne peut pas régulariser adéquatement le taux de sucre dans mon sang. Chaque jour, je dois me donner une injection d'insuline. (Ça semble épouvantable, mais je m'y fais.) L'insuline aide à décomposer le sucre en protéines, énergie et gras, toutes ces choses dont notre corps a besoin. Chez les non-diabétiques, le pancréas produit l'insuline naturellement, et dans les proportions adéquates. Nous, les diabétiques, nous devons continuellement vérifier le taux d'insuline dans notre sang. Trop d'insuline est presque aussi grave que trop peu. On peut faire un choc insulinique. Quand je sens que ça va se produire, il faut que je mange immédiatement une tablette de chocolat ou une cuillerée de miel.

Après ma collation, je fais mes devoirs. Pauvre de moi. Complètement seule par un après-midi ensoleillé. Mais je sais que ce ne sera pas pour longtemps. Dans une heure et demie, j'irai chez Claudia pour la réunion du Club des baby-sitters.

Claudia sort un sac de plastique caché derrière son oreiller.

— C'était en solde au magasin d'aliments naturels, dit-elle en me tendant le sac.

Je lis l'étiquette :

— Croustilles de riz 100 % naturelles avec légumes déshydratés et substitut de fromage nacho.

— Oh ! la la ! fait Marjorie en prenant un chocolat.

— Ouache ! lance Christine en faisant la grimace. Pas étonnant qu'elles soient en solde.

J'ouvre le sac et je prends une croustille.

— Mais non, c'est délicieux.

Diane y goûte elle aussi.

— Sophie a raison. Prends-en une, Christine.

— Non, merci. Pas de substitut de fromage pour moi. J'aime les choses pures.

— Tiens, lui propose Claudia en lui tendant un sac de guimauves.

— Là tu parles ! fait Christine en en prenant quelques-unes.

— Tu trouves que c'est « pur » ? dit Diane.

— Oui, c'est de la guimauve 100 % naturelle, explique Claudia d'un ton sérieux.

Diane éclate de rire. Un peu plus et sa bouchée de croustilles de riz s'envolerait dans la pièce. (Diane est une fanatique des aliments santé.)

— Bonjour ! lance Jessie en entrant dans la chambre de Claudia. Qu'est-ce qui se passe de drôle ?

— Aujourd'hui, nous avons des collations santé, répond Claudia.

— Oui, marmonne Christine entre deux bouchées. Des guimauves et des chocolats biologiques.

Nous éclatons toutes de rire.

— Le Club des baby-sitters a la fièvre du printemps, dit Jessie en souriant.

Elle a raison. Nous sommes un peu surexcitées. L'une des choses que j'aime le plus, au CBS, c'est quand nous pouvons nous détendre et être nous-mêmes.

Bon. Comme vous connaissez déjà mes meilleures amies, c'est le moment de vous expliquer ce qu'est le Club des baby-sitters. Nous nous réunissons les lundis, mercredis et vendredis chez Claudia, de dix-sept heures trente à dix-huit heures. Pourquoi chez Claudia ? Parce qu'elle est la seule d'entre nous à avoir une ligne de téléphone personnelle. C'est essentiel pour que les parents du voisinage puissent nous appeler pendant les réunions, lorsqu'ils veulent réserver une gardienne. Comme nous sommes sept (en fait, neuf, puisque nous avons deux membres associés, Chantal Chrétien et Louis Brunet), nous réussissons à répondre à la demande.

Comment les parents nous connaissent-ils ? Par la publicité. Nous distribuons des dépliants et nous plaçons des affiches sur les babillards des supermarchés. Mais notre meilleure publicité est celle des clients satisfaits. Ils font régulièrement appel à nos services et nous recommandent à d'autres.

Nous avons du plaisir à garder les enfants et nous nous faisons un peu d'argent de poche. Et les parents n'ont qu'un appel à faire pour trouver une gardienne expérimentée et fiable.

Le tout a commencé quand nous étions en première secondaire. Un jour, la mère de Christine Thomas cherchait désespérément une gardienne pour son petit frère David. Elle dut faire une foule d'appels avant de trouver quelqu'un. Alors Christine a eu l'idée de fonder un club de gardiennes, avec une centrale téléphonique, si on peut dire.

Christine, Claudia Kishi, Anne-Marie Lapierre et moi sommes le comité fondateur, mais depuis, d'autres filles se sont jointes à nous. Et le Club est devenu une sorte de petite entreprise, avec un conseil de direction, des règlements, un journal de bord et des cotisations à payer.

Et des collations. Vous devinez probablement que les collations sont un élément important des réunions du CBS. Mais nous ne faisons pas que manger, loin de là. Simplement, Claudia raffole des friandises. Ses parents ne sont pas d'accord, alors elle en cache partout dans sa chambre. (Elle cache aussi ses romans policiers, parce que ses parents préfèrent qu'elle lise des livres « sérieux ».)

Dès qu'une réunion commence, Claudia nous distribue généreusement ses trésors, et elle prévoit même des collations santé ou sans sucre pour Diane et moi.

Claudia est grande et mince, elle a une peau parfaite, de longs cheveux noirs et des yeux noirs en amande (elle est d'origine asiatique). Elle est l'une des deux cartes de mode du CBS. L'autre ? Sans vouloir paraître prétentieuse, je dirais que Claudia et moi sommes les deux membres du CBS les plus à la mode. Nous suivons toutes les tendances, quoique Claudia soit un peu plus audacieuse que moi. Elle réussit à agencer les chapeaux, les vestes et les chaussures les plus excentriques et à avoir une allure fantastique.

Claudia est la fille la plus créative que je connaisse. Elle peint, elle sculpte, elle dessine et fabrique des bijoux. Elle a même déjà organisé dans le garage de ses parents une exposition de tableaux et de dessins de... friandises. Claudia a une sœur aînée, Josée, un véritable petit génie. Elle est au secondaire, mais elle suit des cours spéciaux au collège de Nouville. Claudia, elle, n'est pas une très bonne élève. Pendant longtemps, elle a cru que ses parents lui préféraient Josée, mais ils se sont rendu compte récemment que Claudia avait des talents artistiques très spéciaux.

Claudia est notre vice-présidente, surtout parce que sa chambre nous sert de quartier général. De plus, elle prend les appels des parents qui téléphonent hors des heures officielles des réunions.

Notre présidente est la fondatrice du club, Christine Thomas. Elle est plutôt autoritaire, mais nous l'aimons bien. Et elle a toujours une foule d'idées. Sans Christine, nous ne serions probablement pas aussi organisées et efficaces.

Christine a le don de résoudre les problèmes avant même qu'ils surviennent. Voici un exemple : peu après la fondation du Club, elle s'est rendu compte que nous avions un inconvénient *potentiel*. N'étant pas certains d'avoir toujours la même gardienne, les clients seraient obligés de répéter les instructions à chaque nouvelle gardienne qui, elle, devrait se familiariser avec les enfants. C'est ainsi que Christine a pensé au journal de bord du CBS. Nous y écrivons un résumé de chacune de nos gardes : les instructions spéciales, les besoins et les goûts des enfants, des anecdotes amusantes, etc. Christine insiste pour que nous fassions un résumé chaque fois, même s'il ne s'est rien passé d'extraordinaire. C'est parfois fastidieux, mais nous trouvons toutes que cela nous aide beaucoup.

Christine a aussi inventé l'agenda, qui nous sert à inscrire les horaires des gardiennes, en plus d'une liste des parents, avec les adresses, les numéros de téléphone, les tarifs et le nom et l'âge des enfants.

Ce n'est pas fini ! Christine a aussi créé les trousses à surprises. Ce sont des boîtes de carton remplies de jeux, de jouets, de livres, de matériel d'artiste que nous trouvons chez nous. On pourrait croire que les enfants n'aiment pas jouer avec de vieilles choses, mais au contraire. Ils adorent les trousses à surprises.

Christine a aussi formé une équipe de balle molle, les Cogneurs, pour les enfants trop jeunes pour faire partie des petites ligues. Il faut dire qu'elle est sportive. Elle n'est pas grande et elle porte toujours un survêtement ou un jean avec un t-shirt ou un col roulé. Le maquillage et la coiffure, ce n'est pas son genre !

Christine est tellement terre à terre qu'on aurait peine à croire que son beau-père est millionnaire. J'exagère peut-être un peu, mais il est vraiment très riche. C'est bien, parce que Christine n'a pas eu une enfance privilégiée. Elle habitait une petite maison de l'autre côté de chez Claudia. Peu de temps après la naissance de son petit frère David, il y a environ sept ans, son père les a quittés sans explication et il appelle rarement ses enfants. Madame Thomas s'est trouvé un emploi et a élevé seule ses quatre enfants. Un jour, elle est devenue amoureuse de Guillaume Marchand, un homme très gentil et très doux. Ils se sont mariés, et les Thomas ont emménagé chez les Marchand (Guillaume a deux enfants d'un mariage précédent, et ils viennent chez lui une fin de semaine sur deux et pendant les congés). La famille s'est agrandie avec l'adoption d'une petite Vietnamienne, Émilie, et l'arrivée de la grand-mère de Christine. J'oubliais que les Marchand ont toutes sortes d'animaux de compagnie. Heureusement, la maison (le manoir, devrais-je dire) est immense, mais elle est située à l'autre bout de la ville. C'est pourquoi Charles, le grand frère de Christine, l'amène en voiture à nos réunions et vient la chercher.

— Hum hum ! fait Christine en s'éclaircissant la voix.

Il est 17 h 29. Comme d'habitude, je suis assise sur le lit, entre Anne-Marie et Claudia. Jessie et Marjorie sont installées sur le plancher. Diane est assise à califourchon sur la chaise de Claudia.

Christine est dans un fauteuil, sa visière sur la tête.

Comme toujours, elle a l'œil sur le réveil. Dès qu'il est dix-sept heures trente, elle proclame :

— L'assemblée est ouverte ! Est-ce qu'il y a du nouveau ?

— Oui, dis-je. C'est le jour des cotisations.

J'avais oublié de vous dire que je suis la trésorière du CBS et que, tous les lundis, je dois recueillir une part des gains des gardiennes. Cet argent nous sert à dédommager Charles Thomas pour ses frais d'essence, à payer le compte de téléphone de Claudia et à garnir les trousses à surprises. Lorsqu'on a un surplus, on organise une petite fête à la pizza.

Comme vous pouvez l'imaginer, la collecte des cotisations suscite toujours des commentaires.

— Quoi, déjà ?

— On est obligé ?

— D'accord, d'accord...

— On ne peut pas sauter une semaine ?

Donc, je fais mon travail et je recueille les cotisations. (Je me suis habituée à tous ces commentaires, et je sais que mes amies ne font pas vraiment preuve de mauvaise volonté.)

Dès que j'ai versé le dernier dollar dans notre petite caisse (une vieille enveloppe brune), le téléphone se met à sonner.

— Bonjour, Club des baby-sitters, dit Claudia. Ah ! bonjour, madame Barrette... Mardi prochain ? Oui... d'accord. Je vous rappelle tout de suite. Au revoir.

Elle raccroche le combiné et se tourne vers Anne-Marie :

— Les Barrette, mardi dans deux semaines ?

— Attends, je vais vérifier, dit Anne-Marie.

Anne-Marie est notre secrétaire. Elle s'occupe de notre agenda, ce qui n'est pas une mince tâche. Elle doit mettre à jour la liste des clients, tenir compte de nos obligations personnelles (les cours de ballet de Jessie, les rendez-vous de Marjorie chez l'orthodontiste, les exercices des Cogneurs de Christine, les cours d'arts plastiques de Claudia), organiser nos horaires de garde et essayer de faire en sorte que chacune d'entre nous ait le même nombre d'heures de travail. Je n'ai pas besoin de vous expliquer qu'Anne-Marie est très organisée. De plus, c'est celle d'entre nous qui écrit le mieux.

Anne-Marie est tout le contraire de Christine. Elle est timide et discrète, elle déteste le sport et elle est ultra-sensible. Elle doit faire une consommation industrielle de mouchoirs de papier. Je l'ai déjà vue pleurer en voyant un écureuil blessé. Son petit ami fait souvent des blagues à ce sujet en disant qu'il lui faudrait une assurance contre les inondations lorsque lui et Anne-Marie vont voir un film d'amour.

Devinez qui est la meilleure amie de la timide Anne-Marie ? La dynamique Christine. (Difficile à imaginer !) Un autre détail intéressant au sujet d'Anne-Marie est qu'elle est la seule du CBS à avoir un vrai amoureux. Il s'appelle Louis Brunet (oui, le même Louis Brunet qui est membre associé du CBS.) Il est beau, sympathique et très sportif. Anne-Marie et lui ont eu leurs hauts et leurs bas, mais ils semblent très proches, depuis quelque temps.

Anne-Marie est en deuxième secondaire, comme moi, mais lorsque je l'ai connue, je croyais qu'elle avait deux ans de moins que moi. Elle avait des tresses et portait des robes de petite fille. À cette époque, elle vivait seule avec son père (sa mère est morte lorsqu'elle était encore bébé). Monsieur Lapierre est gentil, mais il était incroyablement sévère et lui imposait toutes sortes de règlements et de couvre-feux. Heureusement, les choses ont changé. Anne-Marie a plus de liberté, elle porte des vêtements à la mode et s'est récemment fait couper les cheveux. Pourquoi ? Parce que son père s'est remarié et a relâché un peu la discipline. La femme qui a changé sa vie (et celle d'Anne-Marie) n'est nulle autre que...

... la mère de Diane Dubreuil ! Avant de tout vous raconter, un mot sur Diane. Comme moi, elle n'est pas originaire de Nouville. Elle est née en Californie et elle est arrivée ici avec sa mère et son petit frère Julien, après le divorce de ses parents. Diane a les cheveux d'un blond très pâle et a toujours un teint rayonnant. Et tout comme moi, Diane ne mange pas de friandises, mais pas pour les mêmes raisons. Elle ne mange pas de viande rouge et préfère les aliments biologiques et des choses comme le tofu et les germes de luzerne. Non, elle n'est pas diabétique : elle aime tout simplement la nourriture santé.

Donc, voici leur histoire : madame Dubreuil est née à Nouville et, pendant ses années de collège, elle était sortie un certain temps avec le père d'Anne-Marie. À son retour de Californie, elle l'a rencontré de nouveau et, en peu de temps, ils sont redevenus amoureux. Maintenant, ils habitent tous la vieille maison de ferme des Dubreuil (sauf Julien, qui est retourné en Californie chez son père). C'est ainsi qu'Anne-Marie et Diane sont devenues demi-sœurs.

Diane est notre suppléante, ce qui signifie qu'elle remplace n'importe quelle d'entre nous qui ne peut assister à une réunion. Je crois qu'elle a occupé tous les postes au moins une fois. Elle est devenue trésorière lorsque j'ai redéménagé à Toronto (et elle était bien contente de me redonner mon poste lorsque je suis revenue).

Jessie Raymond et Marjorie Picard sont nos deux membres juniors. Si on les appelle ainsi, c'est parce qu'elles ont deux ans de moins que nous. Elles ont onze ans et sont en sixième année. Toutes deux doivent rentrer tôt, le soir, donc elles gardent principalement l'après-midi et la fin de semaine. Cela nous convient parfaitement, parce que ça libère le reste du Club pour les gardes qui finissent tard en soirée.

Marjorie et Jessie s'entendent à merveille et sont aussi d'excellentes gardiennes. Chacune est l'aînée de sa famille, ce qui veut dire qu'elles ont beaucoup d'expérience. Surtout Marjorie. Elle a sept frères et sœurs (dont des triplets). Jessie a une sœur et un frère.

Vous savez déjà que notre Club compte une grande artiste, mais nous avons aussi une fantastique écrivaine et une grande ballerine. Jessie, avec ses longues jambes, sa posture parfaite et les cheveux toujours tirés en arrière, a déjà dansé le premier rôle dans des productions de son école de ballet. Marjorie, elle, écrit des contes merveilleux et les illustre aussi. Elle rêve d'en faire carrière plus tard.

Jessie et Marjorie adorent la lecture et se plaignent toutes les deux que leurs parents les traitent comme des bébés. (Il y a cependant eu un progrès de ce côté : elles ont toutes deux obtenu la permission de se faire percer les oreilles.) Physiquement, elles sont totalement différentes. Marjorie a le teint pâle et des taches de rousseur, les yeux bleus et les cheveux roux frisés. Elle porte des lunettes et un appareil orthodontique. Jessie a le teint café au lait et a de grands yeux noirs.

Enfin, je vous présente nos membres associés. Je vous ai parlé un peu de Louis Brunet. Il aime garder, mais il est souvent occupé par ses activités sportives parascolaires, ce qui fait qu'il ne peut pas être un membre régulier. Chantal Chrétien, l'autre membre associé, fréquente une école privée de Nouville. Ces derniers temps, elle a assisté à plusieurs de nos réunions, mais aujourd'hui, elle a une session d'art dramatique après l'école.

Voilà. Donc, de retour à notre réunion. Nous sommes toutes installées à grignoter, et Claudia me déniche des bretzels, pour faire changement des croustilles de riz. Le téléphone sonne.

— Allô, ici le Club des baby-sitters, répond Claudia. Oh ! bonjour, docteur Jasmin... Oui, pas de problème. Attendez un instant, ajoute-t-elle en éloignant le combiné. Charlotte, pour mercredi soir ?

Anne-Marie vérifie l'agenda et dit :

— Sophie est libre.

Claudia m'interroge du regard et je hoche la tête.

— Docteur Jasmin ? C'est d'accord, Sophie y sera... De rien, au revoir.

En fait, les membres du CBS n'ont pas de clients attitrés, mais Charlotte Jasmin est un cas un peu spécial. Elle et moi sommes devenues très proches, presque comme des sœurs. Alors personne dans le Club ne voit d'objection à ce que je sois le premier choix pour garder Charlotte.

Finalement, la semaine ne se déroule pas si mal. Il est

vrai que mon professeur favori va être remplacé par un petit nouveau sans expérience. Mais il fait beau, Claudia a découvert pour moi une nouvelle collation sans sucre et je vais garder ma petite « cliente » préférée, dans deux jours. Ç'aurait pu être pire.

Snif, snif, snif !

Ah ! le printemps. Aujourd'hui, mardi (le lendemain de la réunion), le temps est encore au beau fixe. Anne-Marie, Diane et moi rentrons de l'école ensemble en marchant très lentement. Mon sac d'école est plus léger que d'habitude, parce que monsieur Béland ne nous a pas donné de devoirs. Ce doit être le seul avantage d'avoir un nouveau professeur le lendemain.

Les autres membres sont très occupées : Jessie est à son cours de ballet, Marjorie et Claudia gardent et Christine est à un exercice des Cogneurs.

— Qu'est-ce que tu vas faire, cet après-midi ? me demande Anne-Marie.

— Comme d'habitude, dis-je. Prendre une collation et rêver.

— Ça semble palpitant, fait Diane.

— Viens chez nous, propose Anne-Marie.

— D'accord !

Bonne idée : je n'ai pas envie de rentrer dans une maison vide.

La maison de Diane et Anne-Marie est tout près de chez moi. Et c'est la maison la plus géniale de Nouville. Plus encore que le manoir des Marchand. Une très vieille maison de ferme, construite il y a environ deux cents ans, avec une grange. Et un passage secret mène de la grange à la chambre de Diane. On dit qu'il servait à des contrebandiers.

La maison semble grande, mais l'intérieur ne l'est pas vraiment, car les pièces sont assez petites et les plafonds sont bas.

— Bonjour, les filles ! lance madame Dubreuil lorsque nous entrons.

Elle descend l'antique escalier de bois qui mène au salon.

— Heureuse de te voir, Sophie ! dit-elle.

— Moi aussi, dis-je.

— Faites comme chez vous, poursuit madame Dubreuil, l'air soudain distraite. Je partais faire des courses, mais je ne réussis pas à trouver mes clés.

Elle entre dans la cuisine, en murmurant :

— J'étais pourtant ici, pour faire la liste des achats...

Diane la suit. Elle ouvre la porte du frigo et devinez ce qu'elle y trouve...

Eh oui ! Les fameuses clés. Madame Dubreuil a toujours été distraite, et Diane a développé un sixième sens pour deviner où sa mère a oublié tel ou tel objet.

Nous lui disons au revoir, et toutes les trois nous préparons une collation, que nous allons manger dans l'immense cour, le chat d'Anne-Marie (Tigrou) sur les talons. Installées dans des chaises longues, nous observons le chaton qui fait toutes sortes de cabrioles, essayant d'attraper des proies imaginaires, ou fuyant un poursuivant invisible. Nous pouffons de rire :

— Mais qu'est-ce que tu as, Tigrou ? demande Anne-Marie.

— C'est la fièvre du printemps, répond Diane.

Nous entendons un éclat de rire et nous nous retournons pour apercevoir une femme aux cheveux poivre et sel qui s'approche de nous.

— Il est adorable ! dit-elle.

— Bonjour, madame Desroches, fait Diane. Je vous présente notre amie, Sophie Ménard. Prenez une chaise.

— Bonjour, Sophie, dit madame Desroches en me serrant la main. Ce n'est pas nécessaire, Diane, parce que je ne peux pas rester longtemps. Je suis simplement venue vous demander si vous ne pouviez pas me rendre service.

— Bien sûr ! répond Anne-Marie.

— Attends, dit madame Desroches en riant. Ne dis pas oui avant de savoir de quoi il s'agit. Mon mari et moi quittons la ville samedi pour trois semaines...

— Vous avez besoin de quelqu'un pour s'occuper de votre ferme ? l'interrompt Diane, les yeux brillants.

— Pas exactement. Nous avons engagé quelqu'un qui viendra deux fois par jour. Mais c'est Elvire, qui m'inquiète. Elle a seulement deux ans, et nous ne l'avons encore jamais laissée.

— Ah bon ! fait Anne-Marie, en hochant la tête d'un air solennel.

Elvire ? Elle nomme son bébé Elvire, et maintenant elle

l'abandonne pour trois semaines ? Je me sens triste pour cette petite fille.

— Vous savez, continue madame Desroches, elle a eu besoin de tant de soins spéciaux parce que sa mère est morte à sa naissance, la pauvre. Henri et moi l'avons veillée à tour de rôle, et elle a besoin de nous.

— Elle va bien ? demande Diane.

Anne-Marie et elle semblent connaître la petite fille, mais je ne me souviens pas qu'elles m'en aient jamais parlé.

— Oh oui ! elle est en bonne santé, mais je ne peux pas me résoudre à la laisser seule. Vous ne pouvez pas imaginer toutes les bêtises qu'elle peut faire lorsqu'on ne la surveille pas. Elle adore manger les déchets de table et le courrier. Et je ne fais pas confiance aux animaux. Je crains qu'un des chevaux ne se fâche et ne lui donne un coup de sabot.

D'étonnement, j'ouvre toute grande la bouche.

— Les filles, pourriez-vous vous occuper d'elle ? poursuit madame Desroches. Elle s'adapte tout de suite aux gens qu'elle ne connaît pas, et elle ne cause aucun problème. Je vous paierais, évidemment. Et je pourrais vous l'amener ici, pour que vous la gardiez dans la grange.

Quelle horreur ! Je n'ai jamais vu ça. Incrédule, je regarde madame Desroches et mes amies. Diane, en particulier semble soucieuse.

— Madame Desroches, demande-t-elle, est-ce qu'Elvire a déjà... des cornes ?

— Un instant ! dis-je. Qui est Elvire ?

— Oh ! je m'excuse, répond madame Desroches en souriant. C'est un bébé.

J'ai le cœur à l'envers.

— Une chevrette, précise-t-elle.

— Ah bon ! fais-je d'un ton de connaisseur, comme si j'avais toujours su qu'Elvire était un animal.

— Ce serait amusant, dit Anne-Marie.

— On peut aller la voir ? demande Diane.

— Bien sûr ! répond madame Desroches. Tout de suite si vous voulez.

Ainsi, nous avons rencontré Elvire. La ferme des Desroches n'est pas très grosse, mais on y trouve un potager aux dimensions impressionnantes et une grange beaucoup plus grande que chez Diane. Un vieux tracteur est stationné derrière la grange, et des poulets picorent autour.

— C'est un endroit adorable ! s'écrie Diane.

— Tu es déjà venue ? dis-je.

— Je suis passée devant leur ferme à quelques reprises, répond Diane, mais maman et Richard sont devenus amis avec les Desroches.

Madame Desroches nous précède, marchant très vite, courant presque. Elle semble un peu plus vieille que mes parents, mais la vie à la ferme doit lui donner une énergie incroyable.

— Nous avons des chevaux, des cochons, des poulets et quelques vaches, explique-t-elle. Ce n'est pas une grosse ferme, mais nous y sommes heureux.

Nous la suivons dans la grange. Elle se penche vers un petit enclos entouré de fil de fer puis se retourne vers nous, Elvire dans les bras.

La petite chèvre est maigrelette et a des yeux immenses. Elle nous regarde, passant de l'une à l'autre.

Sous le menton, elle a une barbichette pointue. Son pelage est gris, blanc et noir, ébouriffé et un peu crotté.

C'est vraiment un amour de chèvre.

— Bêêê, fait Elvire de sa voix fluette.

— Oh ! nous exclamons-nous en même temps.

Elvire est si fragile et gentille qu'elle nous séduit immédiatement.

— Ça va, mon bébé, dit madame Desroches d'un ton rassurant. Elle est un peu nerveuse, mais ça va passer.

Elle dépose Elvire près d'une vieille balle de tennis. Elvire nous regarde puis se met à marcher avec ses pattes grêles et flageolantes. Elle baisse la tête, s'élance vers la balle et donne un coup avec son front. Ensuite, elle nous regarde et nous l'applaudissons.

Elvire bêle de nouveau, puis prend une bouchée de foin.

— Elle est tellement mignonne ! s'exclame Anne-Marie.

— Je peux la prendre ? demande Diane.

— Et moi ? dis-je.

Nous la prenons à tour de rôle. Madame Desroches avait raison. Elvire s'entend bien avec nous. Lorsque nous la posons par terre, elle tourne autour de nous et donne des coups de tête sur nos jambes. Nous courons après elle, et elle s'enfuit en cabriolant à gauche et à droite.

— Ce sera tellement amusant de s'occuper d'elle, fait Anne-Marie.

— Je sais, c'est un amour, dit madame Desroches. Attendons d'abord la réponse de vos parents. Je sais que c'est quand même une lourde tâche, et...

— Je suis sûre qu'ils seront d'accord, répond Diane.

— Nous allons leur demander ce soir, ajoute Anne-Marie, et nous vous appellerons.

— D'accord, dit madame Desroches. Maintenant, je dois lui donner le biberon.

— Un biberon? s'étonne Anne-Marie. C'est tellement mignon.

Nous disons au revoir à madame Desroches et retournons à la maison. Tout le long du trajet, nous ne parlons que d'Elvire. Diane et Anne-Marie semblent certaines que leurs parents leur donneront la permission de devenir gardiennes de chèvre.

— Je ne serai jamais capable d'attendre jusqu'à samedi! s'exclame Anne-Marie.

— Et imagine comment on se sentira dans trois semaines, soupire Diane. Nous ne serons jamais capables de la laisser.

Et nous continuons à parler d'Elvire — ce qu'elle mangera, quelles seront nos tâches, ce que Tigrou en pensera, etc.

Ce n'est pas moi qui m'occuperai d'Elvire, mais je suis sûre d'une chose: je passerai beaucoup de temps chez Diane et Anne-Marie.

Un nouveau prof. Un bébé chèvre. La fin de l'année scolaire. Somme toute, les prochaines semaines s'annoncent fort intéressantes.

Lorsque j'arrive au cours de maths, ce matin, ce n'est plus le printemps, c'est *Légende d'automne*. Brad Pitt est dans la classe.

Je ne sais pas comment il est arrivé ici, ce qu'il fait là, combien de temps il va rester.

Mais je sais que j'ai les genoux qui tremblent et que je vais manquer d'air. Et ce n'est pas un rêve.

Dans des festivals, avec mes parents, j'ai déjà vu des célébrités, et je n'y prêtais pas plus d'attention que ça.

Mais cette fois-ci, c'est différent. Je flotte littéralement en me rendant à ma place.

Mon cerveau est comme de la sauce blanche. Brad Pitt sourit, des fossettes apparaissent dans ses joues, ses yeux gris ardoise parcourent la classe, et j'ai l'impression d'être au ciel. Puis il passe la main dans ses cheveux châtains ondulés, et je fonds.

Suis-je amoureuse ? Oui. Mais même si je suis complètement sous le charme, la réalité prend le dessus. Ce ne peut pas être Brad Pitt. Brad Pitt ne serait pas dans une classe de maths de l'école secondaire de Nouville. Il ne tiendrait pas dans sa main une craie, en parlant à monsieur Béland et en regardant une feuille sur son bureau.

Peu importe. Il est toujours aussi beau et il me fait toujours autant d'effet. Et c'est lorsque monsieur Béland le présente que je comprends qui il est.

— Bonjour, tout le monde, dit-il tout de suite après la cloche, je suis heureux de vous présenter votre nouveau professeur, monsieur Émond.

Mon cœur s'arrête de battre. Brad Pitt est en fait Bertrand Émond. Je me sens ridicule de ne pas m'en être rendu compte tout de suite. Mais j'ai une excuse : j'ai momentanément perdu la tête. Je ne pouvais pas être logique.

C'est un nom qui me semble soudain sympathique. Beaucoup plus intéressant que Brad Pitt, en fait. Brad Pitt, à bien y penser, ça sonne un peu ridicule.

« Sophie, me dis-je, prends sur toi ! »

Et lentement, j'y arrive. Mais je recommence à rêver lorsqu'il ouvre la bouche. Sa voix est aussi belle que son visage. Chaude et pure, douce mais bien timbrée. Ses premières paroles sont :

— Heu... merci, monsieur Béland.

(Je n'ai jamais entendu le nom de mon prof prononcé de façon aussi extraordinaire.)

Monsieur Béland va s'asseoir au fond de la classe. Bertrand Émond poursuit :

— Je suis heureux d'être avec vous. J'ai toujours voulu enseigner, et pour obtenir mon baccalauréat en sciences de l'éducation, je dois faire un stage de trois semaines. Comme les mathématiques sont ma matière préférée, c'est ainsi que je me retrouve dans votre classe. Je ne donne pas de cours magistraux, et j'aime bien les questions et les discussions. Je serai toujours disponible pendant les heures d'étude...

Il continue à parler, et je repense à ce qu'il a dit. S'il prépare son baccalauréat, il doit avoir un peu plus de vingt ans, vingt-deux, peut-être. Neuf ans de plus que moi. Ce n'est pas une si grande différence d'âge. Quand j'aurai dix-huit ans, il en aura vingt-sept. Deux ans plus tard, nous serons *tous deux* dans la vingtaine. Et comme les maths sont sa matière préférée, nous avons déjà un point en commun.

— ... et je suis tout de même strict en classe. Cela n'empêche pas que vous pouvez m'appeler par mon prénom.

Il écrit « Bertrand » au tableau. Soudain, ce prénom me semble incroyablement romantique.

Calme-toi, Sophie !

On finit par faire des maths. Bertrand passe en revue des choses que je sais déjà ; je prends quand même des notes. Ça peut paraître idiot, mais je veux lui montrer que je suis intéressée.

Et je suis vraiment intéressée. Il nous aurait lu l'annuaire du téléphone que je l'aurais trouvé fascinant.

Pendant le cours, j'ai appris beaucoup : il est droitier, son pied gauche est tourné un peu plus vers l'extérieur que son pied droit, son veston est un peu serré aux épaules. De plus, lorsqu'il réfléchit, il se gratte le menton. Et c'est la personne la plus à l'écoute que j'aie jamais vue : il semble adorer répondre aux questions, même les plus idiotes.

Non seulement les filles de la classe sont sous le charme, mais les garçons (dont certains essaient de lui poser des colles) l'adoptent aussi. C'est vraiment un bon prof. Il est talentueux, beau, intelligent, chaleureux. Ouf...

Le cours n'a pas duré très longtemps aujourd'hui. Du moins, c'est ce que je pense. Quand Bertrand nous dicte nos devoirs, je me sens déjà triste à l'idée de me séparer de lui jusqu'à demain.

Le devoir comporte cinq énoncés. Je les inscris dans mon cahier, de ma plus belle écriture, avec un cœur au lieu du point au-dessus de chaque i.

Après la cloche, j'observe longuement Bertrand pendant qu'il nettoie le tableau. Je veux que son image reste imprimée dans ma tête. Dans tous les détails.

— Au revoir et à demain, dis-je en essayant d'avoir l'air amicale, mais pas trop.

— Au revoir, heu... commence-t-il en consultant la liste des élèves.

— Sophie, dis-je.

— Ah ! Sophie, répète-t-il en souriant.

Il me faut toute ma concentration pour quitter la pièce sans foncer dans le mur.

Je flotte littéralement jusqu'à mon casier, puis je cours retrouver mes amies du CBS à la porte de l'école. Nous rentrons ensemble, aujourd'hui, et même Christine nous accompagne, parce qu'elle garde Martine et Caroline Arnaud (qui habitent tout près de chez moi).

Je parle de Bertrand à mes amies. Je ne sais trop ce que je leur raconte, mais Anne-Marie me regarde d'un air étrange.

— Oh ! Sophie, s'exclame-t-elle, à t'entendre, il a l'air fabuleux.

Je ferme les yeux, je hume l'odeur des lilas et je vois dans ma tête le sourire de Bertrand.

— Et Sébastien ? demande Anne-Marie.

— Eh bien... dis-je en lançant un regard coupable à Christine.

— Pas de problème, répond cette dernière en souriant. Tu es humaine et, honnêtement, il y a des fois où je me demande si Sébastien l'est. Motus et bouche cousue.

— As-tu son numéro de téléphone ? me demande Diane.

— Voyons, Diane ! Je ne peux pas faire ça. C'est un *professeur.*

— Sabrina Bouvier est déjà sortie une fois avec monsieur Jordan, dit Christine.

— Quoi ? nous écrions-nous en chœur.

Je n'arrive pas à y croire. Sabrina était *mature,* mais tout de même...

— En fait, précise Christine, c'était une rumeur.

— C'est comme si on sortait avec notre père, dit Marjorie.

— Ou avec notre grand-père, ajoute Christine.

— Bertrand a vingt-deux ans ! dis-je.

— C'est plutôt vieux, constate Jessie.

— Il va peut-être t'attendre, dit Christine. Tu pourras l'aider à monter les marches pour entrer dans l'église, à votre mariage.

Cette conversation devient ridicule. De plus, je me fiche de ce que mes amies disent. Rien ne peut gâcher ce que je ressens en ce moment.

Lorsque j'arrive à la maison, ça ne me dérange même pas que ma mère ne soit pas encore rentrée. Je m'installe tout de suite pour faire mes devoirs — les maths en premier, évidemment.

Je lis attentivement chaque problème. Je les résous d'abord sur du papier brouillon, en m'assurant de rédiger des phrases complètes. J'ajoute même quelques blagues.

Après avoir vérifié mes réponses un million de fois, je suis sûre que mon devoir est parfait. Je le copie avec mon écriture du dimanche et il faut que je me retienne pour ne pas déposer un baiser sur la première page.

Puis je pense à quelque chose d'*extrêmement* important. Mes vêtements. Aujourd'hui, je porte un vieux pantalon et une immense chemise d'homme. Ce n'est pas laid, mais ça n'a rien de spectaculaire. Je ne m'habillerai sûrement pas comme ça demain. Je fouille dans ma garde-robe et j'examine mes plus beaux ensembles.

Ma robe rouge qui tombe à mi-mollet? Trop habillée. Un jean avec un chandail de coton? Trop ordinaire.

J'ai commencé ma recherche à seize heures trente-cinq. À dix-sept heures cinq, je tombe sur une robe courte en tricot, bleu marine à pois blancs (c'est maman qui me l'a achetée). Le haut est ajusté, et la jupe virevolte autour de mes jambes. C'est très féminin et aussi confortable. Absolument parfait.

Je meurs d'envie d'en parler à Claudia. Je me rends compte que si je pars maintenant, j'aurai le temps de discuter quelques minutes avec elle avant le début de la réunion.

Je file jusque chez elle et j'entre dans la maison (la porte n'est pas verrouillée le jour des réunions). Je me précipite à l'étage, je passe devant la chambre de Josée (qui, comme d'habitude, travaille à son ordinateur) et je frappe à la porte de Claudia.

— Entrez !

Claudia est en train de dessiner.

— C'est déjà l'heure de la réunion ? demande-t-elle.

— Non, je voulais juste t'expliquer ce que je vais porter demain.

— Pourquoi ? Tu sors ?

— Mais non, j'ai un cours avec Bertrand.

Je décris à Claudia les vêtements que j'ai choisis. Claudia me suggère de porter mes nouvelles chaussures de sport en toile blanche avec des lacets en dentelle.

— Bonne idée, dis-je. Maintenant, quel parfum ?

— Celui que tu veux, répond Claudia. Mais n'oublie pas, Sophie. C'est un cours. Et Bertrand est un *professeur.*

— Je sais, je sais. Tu devrais le voir, pourtant. L'école finit dans trois semaines. Et s'il n'a pas de petite amie ? On ne sait jamais...

— Sophie ! s'exclame Claudia en riant, il est *beaucoup* plus vieux que toi. Il est à l'université.

— Je sais, dis-je de nouveau.

Claudia, silencieuse, me lance un regard éloquent. Puis je lui pose LA question qui me brûle les lèvres.

— Connais-tu une eau de Cologne qui sent le lilas ?

— Charlotte ! Sophie est arrivée ! lance le docteur Jasmin. Et je dois partir.

— Je descends ! crie Charlotte.

Il est dix-neuf heures, et c'est la fin d'une longue journée. Après la réunion du CBS, j'ai couru chez moi pour manger rapidement avec maman. Ensuite, j'ai pris mon insuline et je me suis précipitée chez les Jasmin. (La vie d'une gardienne n'est jamais simple !)

Le docteur Jasmin, la mère de Charlotte, me donne quelques instructions de dernière minute avant de partir à l'hôpital. (Le père de Charlotte est ingénieur et fait des heures supplémentaires ce soir.)

— Bonjour, Sophie ! dit Charlotte.

— Bonjour, Charlotte !

C'est l'enfant que je préfère garder. Elle embrasse sa mère et nous lui disons au revoir. Puis je remarque quelque chose d'étrange — une tache foncée sous l'œil gauche de Charlotte.

— Qu'est-ce qui t'est arrivé ?

Charlotte me regarde sans comprendre.

— Quoi ?

— On dirait que tu t'es blessée à la joue.

— Ah ça ! répond-elle en souriant. Je me suis tachée avec un crayon feutre. Tiens, pourrais-tu m'aider à faire mes devoirs ?

Nous montons à sa chambre, et je remarque que ses livres sont sur son bureau, fermés. J'aperçois à côté une marguerite à demi effeuillée. Charlotte ouvre un livre et annonce :

— Nous avons un test d'orthographe, demain. Peux-tu me poser des questions.

— D'accord.

Elle me tend le livre et s'installe.

— Comment écrit-on... (je cherche un mot difficile) ... *gruyère* ?

Lorsque je lève les yeux, Charlotte est en train de cacher la marguerite dans un cahier à anneaux.

— Quoi ? demande-t-elle.

— *Gruyère.*

Elle réfléchit un moment puis l'épelle parfaitement. Cela ne m'étonne pas, parce que pour une petite fille de huit ans, elle est très intelligente. De plus, elle est drôle, amicale, réfléchie et volubile.

Elle n'a pas toujours été comme ça, cependant. Lorsque je suis arrivée à Nouville, Charlotte était timide et mélancolique. Je crois que je me suis attachée à elle parce qu'elle est enfant unique, comme moi. Elle a changé lorsque ses parents lui ont fait sauter une année à l'école (elle s'ennuyait à mourir, jusque-là). Et, d'après la mère de Charlotte, j'ai moi aussi contribué à la faire sortir de sa coquille. Je ne suis pas sûre que ce soit vrai, mais ça m'a fait plaisir d'entendre ces paroles.

— Et maintenant, le mot... *indépendant,* dis-je.

Pas de réponse. Je lève de nouveau les yeux. Charlotte regarde au plafond, les sourcils froncés.

— Charlotte ?

— Heu... indépendant, répète Charlotte. I-N-D-É-P-A-N-D-A-N-T.

— Tu l'as presque, dis-je. C'est P-E-N.

Nous continuons à travailler un peu, mais je me rends compte que Charlotte n'est pas comme d'habitude. Ordinairement, elle termine ses travaux rapidement et est super-enthousiaste. Aujourd'hui, rien de tout cela. C'est à peine si elle peut se concentrer sur son épellation. Au moment où je m'apprête à lui demander ce qui ne va pas, le téléphone sonne. Je descends à la cuisine pour répondre.

— Résidence Jasmin.

— Salut, résidence Jasmin, c'est moi, fait Claudia.

— Ah ! bonjour. Qu'est-ce qui se passe ?

— Je viens de finir mon devoir de maths avec Josée le génie, soupire Claudia.

— Et puis ?

— Eh bien, elle m'a expliqué que je devais regarder les problèmes de la bonne façon, comme elle dit. Alors j'ai fait ce qu'elle m'a expliqué.

— Alors c'est très bien, n'est-ce pas ?

— Super. Seulement, je n'arrive pas plus à trouver les réponses.

Pendant quelques minutes, j'aide Claudia dans ses calculs, puis je remonte.

Charlotte n'est pas dans sa chambre. Dans la salle de bains, peut-être ? Je vérifie, mais non. Soudain j'entends un drôle de bruit.

Pschitt ! Pschitt !

Le petit bruit vient de la chambre de ses parents, au bout du corridor.

J'y vais et je trouve Charlotte, assise devant la table de maquillage de sa mère. Du fard à joues, un bâton de rouge et de la poudre sont bien alignés devant elle. Charlotte tient un atomiseur de cristal rempli de parfum.

— Charlotte ? dis-je doucement.

— Oh ! fait-elle, surprise, en se tournant vers moi.

Elle repose l'atomiseur sur la table, puis prend un mouchoir de papier et s'essuie le visage.

Je souris. C'est pour cette raison que sa joue était tachée. Elle apprend à se maquiller.

Je m'assois au pied du lit des Jasmin. Charlotte a l'air très embêtée.

— Tu ne le diras pas, hein, Sophie ?

— Non. J'ai fait la même chose quand j'avais ton âge.

— Tu es sûre ?

— Oui. C'est à peu près en même temps que j'ai découvert les garçons.

— Découvert les garçons ?

Charlotte devient toute rouge.

— Oh oh ! fais-je.

Charlotte se ferme comme une huître, mais je crois comprendre ce qui se passe.

— Charlotte, je ne veux pas être indiscrète, mais est-ce que je peux te demander pourquoi tu fais ça ?

— Je ne sais pas, répond-elle. Je crois... eh bien...

— Oui ?

Elle prend une grande inspiration et, en regardant le plancher, elle baragouine rapidement quelque chose.

— Répète, Charlotte, je n'ai rien compris.

— J'ai dit que je crois que j'aime Bernard Clermont... un petit peu. Mais je ne suis pas amoureuse de lui.

— C'est donc ça ! dis-je en souriant.

C'est vraiment la fièvre du printemps : premièrement moi et Bertrand, et maintenant Charlotte et un autre garçon.

— Merveilleux, Charlotte ! Tu as le coup de foudre, et il n'y a rien de mal à ça. Parle-moi de lui. Il est beau ?

Charlotte rit nerveusement. Puis elle hoche la tête d'un air un peu coupable et dit :

— Ah oui ! il est beau. Il a les cheveux roux.

— C'est bien.

— Et les yeux bleus, ajoute-t-elle rapidement. Il dit qu'il déteste les filles, mais je sais que ce n'est pas vrai. Son ami Georges me l'a dit. Et aujourd'hui, il a traversé le terrain de jeux pour me demander si j'avais vu son appareil photo, parce que quelqu'un le lui avait pris. Je pense qu'il m'aime vraiment, Sophie, mais comment fait-on pour savoir si un garçon est amoureux ?

Les garçons sont étranges, à tous les âges. Lorsque Sébastien a commencé à s'intéresser à moi, il m'insultait pour me le montrer.

— Tu sais, ce n'est pas toujours facile. Mais parfois, on le sent, tout simplement. Par la façon dont il nous regarde, ou par les choses qu'il dit, ou s'il fait un détour pour être près de nous.

— Il m'a tiré la langue, la semaine dernière. Mais cette

semaine, il m'a souri. Il a peut-être aussi ri de moi, parce que j'ai marché sur une vieille gomme et...

Un vrai moulin à paroles ! Je reconnais là les symptômes d'un coup de foudre aigu. (Je suis bien placée pour savoir ce que c'est.)

— Je ne sais plus quoi faire. Est-ce que je devrais lui parler, lui dire autre chose que « Bonjour ! » Chaque fois que je lui dis ça, on dirait qu'il roule les yeux.

— Les garçons sont parfois déroutants...

— Je crois qu'il y a une autre fille qui lui tourne autour, mais je sens qu'il ne l'aime pas. Sophie, as-tu déjà eu un coup de foudre ?

— Oui, dis-je en rougissant. En fait, j'ai le coup de foudre en ce moment.

— Ah oui ? Qui est-ce ? demande Charlotte, les yeux brillants.

— Un stagiaire dans ma classe de maths. Il s'appelle Bertrand.

— Un professeur ? Oh ! la la ! Tu l'aimes ?

— Eh bien, non. C'est trop tôt pour le dire, Charlotte. L'amour est différent du coup de foudre. C'est plus profond.

— Alors comment on fait pour savoir si on a le coup de foudre ou si on est amoureux ?

Je cherche mes mots.

— Un coup de foudre, c'est... c'est quelque chose qui frappe comme la foudre, justement. L'amour prend plus de temps à s'installer. Il doit grandir.

— Ça prend combien de temps ? Comment on le sait ?

— Heu... on le sent, c'est tout. Hé, Charlotte, tu n'as pas de devoirs à faire ?

— Oh oh !

Elle se démaquille soigneusement et va dans sa chambre. J'aurais pu parler des coups de foudre toute la soirée.

J'aide Charlotte à finir ses devoirs et à se préparer pour le coucher. Nous discutons encore un peu d'amour et de coups de foudre, et je comprends pourquoi elle avait caché la marguerite. Elle jouait à « Il m'aime un peu, beaucoup, passionnément... »

Je descends faire mes travaux. Mais les questions de Charlotte me trottent dans la tête. Ce n'est pas si facile de faire la différence entre le coup de foudre et l'amour. Et je ne cesse de penser à Bertrand.

Bertrand et moi sommes dans une barque, voguant sur un lac au paysage romantique, puis nous pique-niquons à l'ombre d'un saule.

Bertrand et moi allons faire du ski en Suisse et, après quelques descentes dans l'air pur et vif, nous soupons aux chandelles dans un restaurant chic.

Finalement, quand les Jasmin rentrent, Bertrand et moi avons parcouru la Grèce, l'Égypte et la France...

Je reviens brusquement sur terre. Mais je me console, car je reverrai Bertrand en classe. Mon devoir est fini et mes vêtements sont prêts.

Vivement demain !

Je l'ai vu trois fois avant le cours de maths. La première, c'est en me rendant à ma classe. Il prenait un café dans le bureau de la direction. Puis je l'ai croisé deux fois dans le corridor.

Il est toujours aussi merveilleux qu'hier. Il porte un veston bleu marine, ce qui est peut-être un signe, puisque je suis moi aussi habillée de cette couleur.

Et je suis sûre qu'il trouve ma robe jolie.

Mais le plus beau, c'est pendant le cours. Bertrand me demande à plusieurs reprises d'expliquer des problèmes. Le premier est plutôt difficile, et il a semblé impressionné par ma réponse. Peu après, il me demande de corriger une réponse erronée donnée par une élève.

La troisième fois, il me demande encore de corriger une réponse.

— C'est tout à fait exact ! lance-t-il en souriant.

Oh ! ce sourire... j'ai failli perdre connaissance.

À la fin du cours, il me dit au revoir en m'appelant par mon prénom. Je passe le reste de la journée sur un nuage.

Tout compte fait, les choses progressent, ce jeudi. Je suis sûre que demain sera encore plus prometteur.

Donc, vendredi, je porte une robe légère et printanière. Lorsque j'entre dans la classe, Bertrand fouille dans une pile de papiers.

Dès le début du cours, il annonce:

— Aujourd'hui, je veux vous parler du devoir.

Je fige: il n'a pas l'air content. Les résultats doivent être désastreux. Les problèmes étaient peut-être des attrapes. J'ai peut-être tout raté. J'en ai des gargouillis dans l'estomac.

Bertrand distribue les devoirs par ordre alphabétique, alors le mien est au milieu de la pile.

Lorsqu'il s'approche de mon pupitre, je remarque à peine l'expression sur son visage. Il dépose ma feuille à l'envers, et j'attends un peu avant de regarder.

Finalement, je le prends lentement et je lis mon résultat. Deux choses sont inscrites à l'encre rouge: *A* et *Parfait!*

Je me sens soulagée. Je souris tellement que j'en ai les joues crispées. Lorsqu'il a terminé, Bertrand se tourne vers moi. Je souris toujours, et il marche vers mon pupitre.

Ça y est, je le savais. Devant toute la classe, il va m'inviter à sortir.

Non, ça n'a pas de bon sens. C'est ridicule. Mais pourtant...

Il se penche vers moi, prend mon devoir et le montre aux autres élèves.

— Ces problèmes n'étaient pas faciles, et je ne m'attendais pas à ce que vous trouviez toutes les solutions. Mais Sophie Ménard est la seule à avoir trouvé toutes les bonnes réponses.

J'entends deux ou trois bravos ici et là.

À vrai dire, je me sens un peu gênée. Mais quand je vois le regard radieux de Bertrand sur moi, je me dis qu'une nouvelle vie vient de commencer.

J'exagère peut-être un peu. Pourtant, ç'a valu la peine de m'appliquer à faire mon devoir. Je suis devenue l'élève vedette de Bertrand. Chaque fois qu'il nous propose un problème complexe, c'est à moi qu'il demande de le résoudre. J'ai dû aller au tableau une douzaine de fois.

La cloche annonce la fin du cours, et je me sens triste. Comment pourrais-je passer deux jours sans cours de maths ? En me dirigeant vers la porte, je passe à côté du bureau de Bertrand.

— Au revoir, dis-je. Passez une belle fin de semaine.

— Si je ne reste pas ici jusqu'à lundi, répond-il en riant.

En effet, son bureau a l'air d'une zone sinistrée. Il y a des feuilles d'exercices, des fiches de présence, des devoirs, des livres de maths et des notes de cours toutes éparpillées.

— Oh ! on dirait qu'une tornade est passée par ici.

Est-ce bien moi qui ai dit ça ? Ouille. Je me suis moquée de son désordre, la dernière chose à faire. Je voudrais rentrer dans le plancher.

— Oui ! s'exclame-t-il en riant. Je n'ai jamais eu de talent pour classer mes documents.

— Il vous faut simplement un système, c'est tout.

— Tu as raison. Si j'avais un classeur...

— Vous ne pouvez pas utiliser celui de monsieur Béland ? Il y a peut-être encore de l'espace dedans.

Bertrand regarde le classeur du coin de l'œil.

— Je n'y avais pas songé. Car c'est *son* classeur.

— Oui, dis-je, mais c'est vous le professeur, maintenant.

— Tu as encore une fois raison.

Il ouvre les tiroirs l'un après l'autre. Celui du bas est presque vide.

— Hé ! Sophie ! Tu es géniale.

Géniale ? J'aurais préféré l'entendre dire que je suis l'amour de sa vie, celle qu'il avait toujours cherchée.

Mais « géniale » est déjà un début. Je prends ce qui passe.

— Dis donc, Sophie, as-tu des projets spéciaux, après l'école ?

Je rêve. Le plancher se met à tanguer sous mes pieds. Je réfléchis rapidement. Je suis censée rentrer à la maison avec Anne-Marie et Diane, préparer le souper et aller à la réunion du CBS.

— Non, dis-je. Rien de particulier.

— Parfait, répond-il avec son sourire désarmant.

Mes pensées se bousculent à une vitesse folle dans ma tête. Y a-t-il un bon film en ville ? Ai-je assez d'argent pour aller au restaurant ? Est-ce que j'ai une pastille de menthe dans mon sac ?

— Resterais-tu quelques minutes pour m'aider à trier ces papiers ? demande-t-il.

Et...

Et... ?

Pas de *et*. C'est tout. Il attend ma réponse, et je réussis à articuler:

— Oh... bien sûr. Pas de problème.

Reprends-toi, me dis-je. Une étape à la fois. Pour commencer, on va trier les papiers, puis on fera route ensemble et on prendra rendez-vous pour un repas au restaurant. *Ensuite,* ce sera Acapulco...

Nous travaillons environ trois quarts d'heure. J'ai trouvé le matériel de classement de monsieur Béland et nous établissons un système de chemises avec des codes de couleur.

Vous savez quoi? Coup de foudre ou pas, je le trouve très gentil. Je me sens à l'aise avec lui. Lorsque nous terminons, il me remercie, nous nous disons au revoir et je m'en vais.

Évidemment, Diane et Anne-Marie sont parties chez elles. J'aime mieux ça. Je n'aurais sûrement pas été capable de tenir une conversation cohérente.

Toujours sur mon nuage, je rentre à la maison.

À la réunion, j'explique ce qui s'est passé et je m'excuse auprès de Diane et Anne-Marie pour les avoir fait attendre.

— Ça va, dit Anne-Marie. Nous avons bien pensé que quelque chose comme ça était arrivé.

— Qui sera la demoiselle d'honneur? demande Christine avec un sourire malicieux.

— On pourrait amener Elvire à la cérémonie, propose Diane.

— Voyons, les filles, dis-je en rougissant. Il n'y a rien de spécial...

— Pas encore, ajoute Claudia.

— Et qu'est-ce que vous faisiez pendant tout ce temps ? demande Diane.

— On a trié des documents, c'est tout.

— Tant mieux, dit Christine. Parce que tu n'en serais pas revenue de voir la tête des autres filles de ta classe.

— Comment ça ?

— Elles sont sorties pendant qu'on t'attendait, répond Christine. Estelle Dubois a dit : « Je ne sais pas pourquoi elle l'accapare comme ça ! » et d'autres choses du genre.

— Ah oui ? Mais je ne l'accaparais pas. C'est *lui* qui m'a demandé de rester pour l'aider.

— Au fait, s'écrie Anne-Marie, je l'ai finalement vu aujourd'hui. Bertrand, je veux dire.

— Et puis ?

— Tu avais raison, il est fabuleux.

— Mais il y a un mais, je suppose ? dis-je.

— Eh bien... répond Anne-Marie, je crois que je les préfère plus jeunes.

— C'est vrai, convient Jessie. Tu sais ce à quoi j'ai pensé, Sophie ? Lorsque tu auras fini tes études, il sera dans la trentaine.

Elle prononce le mot « trentaine » comme si Bertrand avait l'âge de la retraite.

Dring !

— Club des baby-sitters, répond Claudia d'une voix officielle.

Pendant le reste de la réunion, le téléphone n'arrête pas de sonner, et nous n'avons pas l'occasion de reparler de Bertrand. Tant mieux pour moi. Je ne veux plus entendre dire quel âge il a ou combien d'ennemies je me suis faites en classe.

Honnêtement, ça ne me dérangerait pas s'il marchait avec une canne et portait une prothèse auditive. Nous avons établi une relation. Ça commence lentement, mais c'est parti.

Et moi, je suis au septième ciel. Sans parachute.

— Ouille !

Anne-Marie, perchée sur la dernière marche d'un escabeau, s'est donné un coup de marteau sur le pouce. Je ramasse le clou qui est tombé et je lui remets.

— Fais attention, avertit Diane.

— Laissez-moi essayer encore une fois, dit Anne-Marie.

On est samedi matin, et Elvire arrive aujourd'hui. La mère de Diane et le père d'Anne-Marie sont allés faire des courses, alors nous avons la maison (et la grange) à nous. Diane et Anne-Marie ont fabriqué une grande banderole où elles ont inscrit BIENVENUE, ELVIRE ! Je les aide à l'installer en travers de la porte de la grange. À l'intérieur, nous avons accroché des ballons, placé des balles de tennis toutes neuves et décoré quelques biberons avec du ruban blanc.

J'ai tellement hâte qu'Elvire arrive ! Gardiennes de chèvre, c'est une nouvelle expérience pour nous. On ne sait jamais à quoi ça peut nous mener. Surtout si Christine s'en mêle. Elle va probablement distribuer des dépliants dans toutes les granges de la région, disant « LE CLUB DES BABY-SITTERS — SPÉCIALISTES EN GARDE D'ENFANTS... et maintenant, DE CHÈVRES ! »

Heureusement, l'arrivée imminente d'Elvire m'empêche de penser à Bertrand. (Pas complètement, mais la séparation de la fin de semaine est plus supportable.)

— J'ai réussi ! s'exclame Anne-Marie qui sourit en regardant son travail d'expert.

Elle descend et nous rangeons l'escabeau. Un klaxon retentit.

Nous sortons en trombe de la grange. Madame Desroches arrive dans sa camionnette. Nous apercevons une petite face barbue qui regarde par la fenêtre du passager.

— Bonjour ! nous écrions-nous en chœur.

— Nous voilà ! répond madame Desroches en sortant de la camionnette.

Nous nous rassemblons près d'Elvire.

— Elle est encore plus mignonne ! s'exclame Anne-Marie. Je peux la prendre ?

— Mais oui, répond madame Desroches.

Anne-Marie ouvre la portière et prend Elvire.

— Dis bonjour, Elvire, fait madame Desroches.

— Bêêêêê ! bêle Elvire.

— Elle n'est pas bête non plus, ajoute Diane.

— C'est mon bébé, dit madame Desroches en riant.

À l'arrière de la camionnette, j'aperçois toutes sortes de choses : des boîtes, des bottes de foin, une grande corde.

— Je peux vous aider ?

— Avec plaisir, Sophie, répond madame Desroches. J'ai apporté son parc, où elle dort la nuit. J'ai tout ce qu'il faut pour la nourrir, alors vous n'avez qu'à vous occuper de lui donner de l'eau. J'ai aussi apporté un collier et une longe. Comme votre cour n'est pas clôturée, vous devez vous assurer qu'elle est toujours attachée.

— Tout le temps ? demande Diane.

— Oui, acquiesce madame Desroches, tant qu'elle est dans la cour. N'oubliez pas qu'un bébé chèvre n'est pas un animal domestique. Elle pourrait aller dans la rue, fouiller dans les poubelles des voisins et même se sauver. Mais ne vous en faites pas. J'ai aussi apporté une laisse si vous voulez l'amener en promenade. Et comme la longe est d'une bonne longueur, elle pourra se promener dans la cour. Elle ne s'en rendra même pas compte.

— Parfait, dit Anne-Marie.

Je sens qu'elle n'aime pas l'idée d'attacher Elvire. Et moi non plus.

Pendant que nous déchargeons la cargaison, madame Desroches continue à nous donner ses directives : à quelle fréquence nourrir Elvire, que faire si elle a une indigestion, comment soigner sa fourrure, comment changer le foin dans son parc. C'est plutôt compliqué. (Elvire est adorable, mais je ne suis pas fâchée que Diane et Anne-Marie soient ses gardiennes.)

Tout est bientôt installé. Madame Desroches termine ses explications et soupire.

— Ça y est, mon bébé, dit-elle en prenant Elvire et en lui donnant un petit bec sur la tête. Tu vas me manquer. Je m'occupe de toi depuis ta naissance.

— Bêêêêê ! fait Elvire d'une petite voix timide, comme si elle demandait : « Pourquoi t'en vas-tu ? »

— Oui, je sais, répond madame Desroches en berçant Elvire comme un bébé. Mais je serai de retour bientôt.

Elle a les yeux pleins de larmes.

— Je ne pensais pas que ce serait aussi difficile.

Nous avons la gorge serrée. Évidemment, Anne-Marie se met à pleurer.

— Ne t'en fais pas, lui dit Diane. Toi, tu restes.

Nous éclatons de rire, et madame Desroches finit par déposer Elvire par terre.

Après toute une série d'instructions supplémentaires, elle remonte à bord de sa camionnette et recule dans l'allée.

— Au revoir, et n'hésitez pas à m'appeler au numéro que je vous ai donné.

— D'accord, et au revoir ! crions-nous.

C'est ainsi que Diane et Anne-Marie deviennent les premières gardiennes de chèvre du CBS.

Au début, Elvire explore les lieux ; elle a l'air timide et craintive. Diane va chercher des balles de tennis dans la grange, les montre à Elvire et lui dit :

— Tu veux jouer ?

— Bêêêêê !

Diane lance une balle vers la maison. Elvire part à sa poursuite, entame une sorte de danse autour de la balle, la prend dans sa gueule et se roule dans l'herbe.

— Elle est tellement mignonne ! fait Anne-Marie.

Nous avons dû dire ces mots un millier de fois aujourd'hui, et nous ne sommes pas les seules. Tout le voisinage semble au courant de l'arrivée d'Elvire.

Les Prieur passent près de la grange. Jeanne, qui a quatre ans, se met à crier :

— Arrête, maman ! Regarde.

La voiture s'immobilise.

— Elle peut regarder ? demande madame Prieur.

— Bien sûr ! répond Anne-Marie, mais Jeanne est déjà sortie de la voiture.

Bientôt, Bruno et Suzon Barrette arrivent, puis Matthieu et Hélène Biron. Au début, nous pensons qu'Elvire serait énervée par tous ces enfants. Mais au contraire, elle les adore. Elle court après eux, donnant des coups de tête dans leurs chevilles. Puis elle part en zigzaguant, et les enfants finissent par culbuter les uns pardessus les autres, pendant qu'Elvire pousse un bêlement triomphal.

À l'heure du repas, Bruno la prend dans ses bras et lui donne le biberon en chantant une berceuse.

Anne-Marie est très émue par cette scène. Madame Barrette vient chercher ses enfants et doit presque se battre avec eux pour les ramener.

Lorsqu'ils sont partis, l'atmosphère est un peu plus détendue. Matthieu et Hélène essaient de « capturer » Elvire en se donnant des instructions en langage des signes (Matthieu est sourd, et c'est sa façon de communiquer avec sa sœur).

Mes amies et moi les observons et rions de bon cœur. Puis Anne-Marie soupire :

— Si lundi pouvait ne jamais venir.

— Pourquoi ? demande Diane.

— Entre les cours et les gardes, nous ne serons jamais capables de voir Elvire. Je ne veux pas la quitter.

Hélène pousse un cri de plaisir, et j'ai alors une idée géniale.

— On pourrait amener Elvire avec nous lorsque nous irons garder. Nous n'aurions pas à nous creuser la tête pour amuser les enfants.

— Mais oui ! dit Anne-Marie en souriant. Et madame Desroches a dit qu'on pouvait l'amener à l'extérieur si elle était en laisse.

— Et on pourrait même l'atteler à une voiturette et organiser des tours.

— Bonne idée, Sophie, réplique Diane, mais nous n'avons pas de voiturette.

— C'est vrai, dis-je.

— De toute façon, ajoute Anne-Marie, elle est un peu trop petite pour ça.

Nous continuons à proposer des idées et nous passons le reste de la journée à discuter, à jouer avec Elvire et à profiter de la brise printanière.

Je me surprends à songer à Bertrand. Lui et moi sommes gardiens de chèvres dans les Alpes. Mais c'est tout. Mes amies et Elvire me suffisent pour le moment. Et je sais que la fin de semaine va bientôt finir. Je suis heureuse, parce que lundi je vais revoir vous-savez-qui.

Lundi

Hier, j'ai gardé Jonathan Mainville. Je devrais plutôt dire que j'étais l'une des invités du Festival « Elvire » du dimanche après-midi. J'avais tellement hâte de montrer Elvire aux enfants. Je savais que Jonathan l'adorerait. Je m'attendais aussi à ce que d'autres enfants viennent.

Je pensais que j'étais bien préparée (Elvire était en laisse) et je savais que les enfants la tiendrait occupée. Tout devait bien aller.

Mais j'aurais dû écouter plus attentivement madame Desroches. Ou avoir pris un cours sur la psychologie des chèvres.

Les parents de Jonathan sont allés voir le frère de monsieur Mainville. Ils ont emmené avec eux Laurence, leur petite fille, mais Jonathan ne voulait pas les accompagner. Diane a décidé d'amener Elvire avec elle. Jonathan a quatre ans, et Elvire a déjà fait la connaissance d'autres enfants du même âge (Suzon Barrette et Jeanne Prieur).

De plus, Claudia et Jessie gardent dans le même quartier. Elvire sera le point de mire.

Mais Diane prend ses précautions, en gardienne d'expérience : d'abord vérifier avec les parents s'ils acceptent une « invitée ».

Elle appelle les Mainville, qui ne semblent pas très chauds à l'idée, mais Diane les assure qu'Elvire est inoffensive et que Claudia, Jessie et les enfants qu'elles gardent viendront la rejoindre. La chèvre sera sous bonne garde.

Ils acceptent, et Diane se rend chez les Mainville, Elvire sur les talons. Madame Mainville l'accueille à la porte, l'air soupçonneux. Laurence est endormie dans ses bras.

— Bonjour, madame Mainville, dit Diane qui entend un cri provenant de la maison.

— Elles sont arrivées ! hurle Jonathan.

Jonathan est un gentil petit garçon généralement calme. Mais lorsqu'il aperçoit Elvire, on dirait qu'il devient fou. Il court vers elle en riant et en criant. Puis il se place devant elle et hurle à pleins poumons.

La pauvre Elvire recule, terrifiée.

— Bêêêêê ! crie Jonathan. Bêêêêê !

— Jonathan, du calme ! ordonne sa mère.

Jonathan se tourne vers madame Mainville. Soudain,

Elvire retrouve son courage et fonce vers lui en bêlant de plus belle, lui donnant un coup de tête dans le derrière.

Jonathan tombe par terre, et sa mère sort en trombe de la maison. Laurence se met à pleurer. Diane a honte.

— Ça va, Jonathan ? demande madame Mainville.

— Mais oui, maman ! fait-il en éclatant de rire. C'est la première fois qu'une chèvre me fait tomber !

Madame Mainville a un petit sourire forcé. Elle examine attentivement Elvire et déclare :

— J'imagine qu'elle est trop petite pour causer des blessures, n'est-ce pas ?

— Oui, assure Diane. Et elle adore les enfants.

— Chut, tout va bien, murmure madame Mainville à Laurence en la ramenant à l'intérieur.

— Bêêêêê ! Bêêêêê ! continue Jonathan.

— Bêêêêê ! répond Elvire.

Jonathan saute sur place.

— Regarde ! Elle me répond !

— Salut, Jonathan !

Matthieu Hobart (6 ans) et son frère Jean (4 ans) viennent d'arriver. Claudia les suit.

— Oh ! qu'elle est mignonne ! s'exclame-t-elle.

C'est la fête, ici. Les enfants ont un plaisir fou, et Elvire aussi. Elle court partout, donne des coups de tête et lèche les mains des petits. Elle est adorable.

Monsieur et madame Mainville sortent de la maison et, pendant qu'ils installent Laurence dans la voiture, ils rient en apercevant la scène.

— Diane, crie madame Mainville, il y a du thé glacé au frigo. Ne te gêne pas. Au revoir !

— D'accord ! Au revoir ! lance Diane qui tient solidement la laisse d'Elvire.

Au moment où les parents de Jonathan reculent dans l'allée, Jessie arrive à vélo, accompagnée de sa sœur de huit ans, Becca, et de Charlotte Jasmin (Charlotte et Becca s'entendent à merveille). À l'unisson, elles s'écrient :

— Oh ! elle est tellement...

Vous devinez sûrement quel est le prochain mot.

Lorsque Marjorie arrive avec trois de ses frères et sœurs, Nicolas (huit ans), Margot (sept ans) et Claire (cinq ans), c'est l'unanimité. Elvire est consacrée « mignonne ».

Quatre gardiennes, huit enfants et une chèvre. Un bon équilibre. Elvire adore être le centre d'attraction..

— Mets-la en liberté ! demande Margot Picard.

— Je ne peux pas, répond Diane. Elle doit toujours rester en laisse.

— Je peux tenir la laisse ? demande Nicolas.

— Moi aussi ! dit Margot.

— Moi aussi ! hurlent tous les autres.

— Ho ! un instant ! crie Diane. Chacun son tour, si vous me promettez de toujours la tenir en laisse.

— Youpi !

— On va procéder par ordre alphabétique, dit Diane. Becca, tu es la première.

Comme Nicolas est le dernier, il se renfrogne et murmure :

— Ce n'est pas juste !

Mais il se fait rapidement à l'idée. Les Mainville ont

une grande cour, et les enfants courent d'un bout à l'autre avec Elvire.

Lorsque c'est le tour de Jean, Matthieu prend une nappe de plastique sur la table de pique-nique des Mainville. Il la lève et crie :

— Taureau ! Taureau !

Les animaux à corne doivent avoir les mêmes instincts, parce que Elvire charge comme un vrai taureau. Riant d'un rire hystérique, Matthieu soulève la nappe. Évidemment, tous les enfants veulent l'imiter. Mais lorsque c'est le tour de Claire, elle n'arrive pas à lever la nappe à temps. Elvire fonce directement sur la cible, entraînant Claire avec elle, dans une espèce de mer de plastique rouge et blanc.

Les autres se joignent à elles. Pendant qu'ils se roulent par terre, en criant et en riant, Elvire sort calmement de la mêlée. Elle reste là et bêle.

Nous éclatons de rire. C'est comme si elle se moquait des enfants.

Après un moment, Claire sort de sa poche une corde à sauter.

— Diane, est-ce qu'Elvire peut sauter à la corde ?

— Pas si elle est en laisse, idiote, répond Nicolas d'un ton exaspéré.

— Je ne suis pas une idiote, espèce d'imbécile ! rétorque Claire.

Ils s'éloignent pour régler leur différend, Elvire sur leurs talons.

— Qui veut du thé glacé ? demande Diane.

Tous les enfants hurlent : « Moi ! »

— Je vais t'aider, offre Claudia.

Elles entrent dans la maison, sortent du frigo un gros pichet de thé glacé et l'apportent sur un plateau avec des gobelets de carton.

Dans la cour, les enfants, heureux et bruyants, s'amusent comme des fous. Jessie et Marjorie causent ensemble mais viennent tout de suite aider à servir le thé.

Becca est la première à venir à la table.

— Excuse-moi, dit-elle en tirant Diane par la manche.

— Voilà, répond Diane en lui tendant un gobelet.

— Merci, dit Becca, mais... où est Elvire ?

— Avec Nicolas.

Diane regarde autour d'elle. Margot et Charlotte essaient de faire monter un cerf-volant. Les garçons Hobart jouent au frisbee avec Jonathan Mainville. Nicolas agace Claire en tenant sa corde à sauter au bout de ses bras, ce qui oblige sa sœur à s'étirer pour l'atteindre.

— Donne-moi ça ! crie Claire.

— Nicolas ? demande Diane. Où est Elvire.

— Je ne sais pas, dit Nicolas, qui continue à éloigner de sa sœur la corde à sauter.

— Tu ne sais pas ? répète Diane. Nicolas, c'est toi qui la tenais, en dernier !

Nicolas s'arrête et regarde vers la maison.

— Elle... je croyais qu'elle jouait...

— Tu as lâché la laisse ? demande Marjorie.

Nicolas hoche la tête d'un air coupable.

— Nicolas ! le gronde Marjorie.

Claire en profite pour saisir sa corde.

— Espèce d'ultra-imbécile ! crie-t-elle.

— Ça suffit ! ordonne Jessie. Partons à sa recherche.

— Oui ! approuve Matthieu. On fait une battue.

— On va se séparer, explique Diane. Jessie, tu amènes Becca et Charlotte au champ des Trudeau et vous regardez partout. Marjorie, Margot, Nicolas et Claire, vous faites le tour de la cour et du garage. Claudia et les Hobart, allez voir de l'autre côté de la rue. Moi, je ferai le tour du quartier avec Jonathan.

L'opération Elvire est déclenchée. Dans tout le voisinage, on entend des cris :

— Elvire ! Elvire !

— Bêêêêê ! Réponds, Elvire !

Diane et Jonathan vont d'une maison à l'autre, en examinant les cours et les jardins. Lorsqu'ils arrivent près de chez Claudia, ils crient :

— Elvire !

CRAAAAAC !

Ils s'arrêtent brusquement. Le bruit provient de la maison des Gagné, les voisins de Claudia. Diane et Jonathan se précipitent. La porte du garage des Gagné est ouverte, et leur voiture n'est pas là. Mais le plancher est jonché de pelures de bananes, d'épluchures de pommes de terre et de vieux papiers.

— Méchante chèvre ! fait Diane.

Elle entre dans le garage. Elvire est là, bien en forme, à côté d'une poubelle renversée. Elle mâche joyeusement une salade de journaux déchirés et de déchets de table.

— Oh ! la la ! s'écrie Jonathan, qui ne peut s'empêcher d'éclater de rire.

Diane saisit la laisse d'Elvire et l'entraîne à l'extérieur.

— Bêêêêê ! proteste Elvire.

Heureusement qu'Elvire est encore toute petite. Elle

refuse d'avancer, mais Diane est assez forte pour la ramener dans la cour des Mainville.

— Je l'ai trouvée ! crie-t-elle.

Lorsque tous sont revenus, Diane retourne chez les Gagné. Elle sonne à la porte, mais en vain. Alors elle va dans le garage, prend un balai et nettoie les dégâts. Elle remet soigneusement le tout dans la poubelle, puis elle ferme la porte et s'assure que rien ne paraît. Elle est terrifiée à l'idée que les Gagné pourraient se rendre compte de quelque chose. Ce sont des gens assez âgés, qui n'ont pas d'enfants, et l'an dernier, leur maison a été cambriolée. Diane ne veut pas qu'ils s'imaginent que la même chose s'est produite de nouveau.

Le reste de la journée se passe sans incident. Mais plus tard, lorsque Diane revient chez les Mainville avec Jonathan et Elvire, elle remarque la voiture des Gagné dans l'allée.

Elle se sent coupable. Elle se souvient combien madame Gagné avait été inquiète après le cambriolage. Et si elle remarquait un détail étrange au sujet du garage ? Et si elle et son mari entreprenaient des recherches pour savoir ce qui s'est passé ? Et s'ils appelaient... la police ?

Diane traverse la rue avec Elvire.

— Viens, Jonathan.

— Où on va ? demande-t-il.

Avec un soupir, elle répond :

— Chez les Gagné. Pour avouer notre crime.

— Quoi ?

Lorsqu'elle raconte toute l'histoire aux Gagné, on dirait que Jonathan va se mettre à pleurer. Mais les Gagné rient de bon cœur en écoutant Diane raconter leur épopée et ils l'invitent avec Jonathan à partager une collation.

Et Elvire se régale de pelures de banane bien fraîches, dans la confortable cuisine des Gagné.

C'est mercredi, et Bertrand et moi célébrons notre premier anniversaire. Une semaine.

Nous ne faisons rien de particulier. Pas de gâteau ou de cadeau. C'est une fête privée, dans notre tête seulement.

Dans la mienne, tout au moins.

Bertrand est subtil. Il attend la fin du cours pour me poser la question.

Pas LA question, mais plutôt UNE question.

— Sophie, dit-il de sa voix douce lorsque je quitte la classe, accepterais-tu de me faire profiter encore une fois de tes compétences d'organisatrice ?

Estelle Dubois passe à côté de moi au même moment, et j'ai l'impression que les yeux vont lui sortir de la tête. Elle murmure quelque chose à une de ses amies.

Je me sens bizarre. Je voudrais courir après elle et lui parler. Nous avons toujours été assez amies, et je déteste me faire des ennemis.

Mais je regarde Bertrand. Immédiatement, j'oublie Estelle.

— Oui, j'imagine, dis-je.

Comme si ça ne m'intéressait pas ! C'est sûr que je n'ai rien d'important à faire avant la réunion du CBS.

— Parfait ! Ton système de classement fonctionne tellement bien que je réussis à ranger tous les documents au fur et à mesure qu'ils arrivent sur mon bureau. Mais il y a un problème. Je devais remplir certains formulaires et les retourner.

— Oh oh !...

Bertrand passe la main dans ses cheveux.

— Eh oui ! la secrétaire m'a demandé aujourd'hui où étaient mon formulaire W4, mon formulaire d'assurance et mon rapport d'étape, et je ne savais même pas que j'avais ces documents en main.

— Oh non ! que lui avez-vous dit ?

— Que j'allais les lui apporter avant la fin de la journée.

Il soupire, secoue la tête et poursuit.

— J'étais tellement embarrassé. Des fois, je suis tellement démuni devant la bureaucratie.

Je voudrais le prendre dans mes bras et lui dire que tout ira bien. Il semble si vulnérable.

C'est la première fois que cet aspect de Bertrand me frappe. Je pensais qu'il était du genre à ne pas se laisser faire. Maintenant, je commence à connaître le vrai Bertrand. Fort, mais sensible, Confiant, mais parfois peu sûr de lui.

Humain, quoi.

Je n'en suis que plus amoureuse.

— Il n'y a pas de problème, dis-je. Dites-moi simplement quoi faire, et nous finirons à temps.

— D'accord. Assieds-toi.

Bertrand ouvre son tiroir du classeur. Il passe en revue ses dossiers, en sort des feuilles et les pose sur son bureau.

— Tiens, voici de quoi mettre à l'épreuve tes compétences en maths. Il faut que je fasse la moyenne des notes de chaque élève. Pourquoi ne t'y mettrais-tu pas pendant que je remplis mon formulaire W4 ?

Il me donne la liste des résultats (après avoir replié la feuille pour que je ne voie pas le nom des élèves). Je suis tout excitée. Je vais réussir à établir les moyennes sans utiliser de calculatrice.

Et je trouve tout de suite ma note. Qui a la meilleure moyenne de la classe ? Eh oui !

Après, j'aide à remplir d'autres formulaires. C'est ainsi que j'en apprends davantage au sujet de Bertrand, comme son numéro d'assurance sociale, sa date de naissance (le 19 août), le nom de famille de sa mère (Soulières), sa taille (1,85 m), son poids (73 kg) et son groupe sanguin (O positif).

Pendant que je remplis le dernier formulaire, Bertrand regarde ma moyenne.

— Je le savais ! Absolument parfait !

J'essaie de ne pas arborer un sourire béat. En levant les yeux, j'aperçois l'horloge.

Dix-sept heures onze.

— Oh non !

— Qu'est-ce qui se passe ? demande Bertrand comme si un cambrioleur était entré pendant qu'il avait le dos tourné.

— Nous avons travaillé pendant plus de deux heures, et j'ai une réunion importante.

Tout en lui expliquant ce qu'est le CBS, je ramasse frénétiquement mes effets.

— Eh... écoute, c'était ma faute, dit Bertrand. Je vais te reconduire en voiture, après avoir déposé mes documents chez la secrétaire.

— D'accord ! dis-je d'une voix étranglée.

Mon rêve se réalise. Je vais chez Claudia avec Bertrand Émond.

Dans sa voiture, à côté de lui. Seule avec lui.

J'essaie de me calmer. Mais sans m'en rendre compte, je prends un document de Bertrand et je marche vers la porte.

— Attends, Sophie. Tu n'as pas à apporter ça chez toi.

— Quoi ?

Je regarde ce que je tiens à la main et je panique.

— Oh ! désolée ! Je... je pensais... J'étais tellement pressée que...

Bertrand me tend mes livres et mes cahiers.

— Pas de problème. Allez, on file.

Il prend ses formulaires et nous courons dans le corridor. En passant, Bertrand dépose les documents sur le bureau de la secrétaire.

Quelques instants plus tard, nous arrivons à sa voiture. J'aperçois un autocollant de l'université de Nouville dans la lunette arrière. Le pare-chocs est retenu par une corde.

— Je te présente Rosalie.

— Rosalie ?

— C'est le nom de ma voiture. Elle a sept ans, mais elle est en pleine forme !

Puis il ouvre la portière côté passager et attend galamment que je m'assois.

— C'est la marque de voiture que je préfère, dis-je.

En fait, je n'ai pas de marque préférée, sauf en ce moment.

Il s'installe derrière le volant. Nous sommes ensemble, dans notre petit monde à nous.

Je donne l'adresse de Claudia à Bertrand, et il démarre. Quelle sensation ! C'est la vraie vie — loin, loin de l'école.

J'aurais envie de hurler de joie. Je voudrais que toute la ville me voie. Heureusement que Bertrand ne conduit pas une décapotable, car même la ceinture de sécurité ne m'aurait pas empêchée de flotter.

Bertrand est un excellent conducteur. Nous discutons un peu, puis il allume la radio. Et lorsqu'il commence à accompagner la voix qui chante une chanson d'amour, j'ai l'impression que je vais fondre, là, sur la banquette.

Puis soudain, il me touche. Il m'effleure simplement la main, mais un frisson me parcourt jusqu'aux orteils. Et, dans le même geste, sa main se pose sur le bras de vitesse.

Avait-il réellement besoin de changer de vitesse maintenant? Je ne crois pas. Mon cœur bat à tout rompre. Ce toucher était intentionnel. Il le faut.

Je tourne la tête vers lui et je lui souris. Il regarde droit devant. Je ne suis pas sûre qu'il me voie. Tout ce que je réussis à me dire, c'est: « Est-ce possible ? Ressent-il pour moi ce que je ressens pour lui ? M'a-t-il retenue à l'école plus longtemps que prévu, sachant qu'il aurait à me reconduire quelque part plus tard ? »

Pas bête, comme idée.

Finalement, Bertrand se tourne vers moi. Il me regarde et sourit.

— Eh bien... commence-t-il.

Ma réponse est prête dans ma tête : « Un rendez-vous ? Bien sûr ! »

— ... nous y sommes, dit simplement Bertrand.

Ah bon.

Je n'avais pas remarqué que la voiture s'était arrêtée. Je regarde dehors et j'aperçois la maison de Claudia. Tout ce que je trouve à dire est :

— Merci de m'avoir ramenée.

— Il n'y a pas de quoi, répond Bertrand. À demain.

— D'accord. Au revoir.

Je sors de la voiture et j'essaie de retrouver mon calme. Lorsque Bertrand démarre, je lui envoie la main.

En remontant l'allée vers la porte, je me demande si mon cœur va exploser ou si je vais m'écrouler.

C'est à peine si j'ai conscience d'entrer dans la chambre de Claudia et j'entends vaguement Christine demander :

— Qu'est-ce qui t'arrive ?

— Hummm ?

— Sophie, tu me fais peur, dit Claudia. As-tu un problème de sucre, ou est-ce à cause de... Bertrand ?

— Il m'a amenée jusqu'ici, dis-je d'une voix éteinte en tombant sur le lit.

— Il a fait ça ? demande Marjorie en écarquillant les yeux.

— Ouais...

— Et puis ? insiste Anne-Marie.

— Et je pense qu'il m'aime bien.

— Vraiment ? dit Diane. Qu'est-ce qu'il t'a raconté.

— Rien de spécial. Il a effleuré ma main. Avec une tendresse difficile à décrire.

— Oh ! la la ! fait Jessie.

Je m'appuie dos au mur. L'horloge indique dix-sept heures trente et Christine oublie d'annoncer que la réunion est ouverte. Elle — et toutes les autres — me regardent fixement.

Elles doivent avoir finalement compris que neuf ans de différence d'âge ne changent pas grand-chose, quand il s'agit d'un véritable amour.

~~Il y a~~ Je vois deux étoiles dans ~~ce~~ le ciel d'été,
Deux étoiles ~~qui devaient~~ faites pour se rencontrer.
Elles se déplacent, hélas, ~~sans réussir à~~ sans se voir,
~~Faut-il~~ Devrait-on ~~renoncer~~ abandonner tout espoir ?

Mais le destin ~~ensuite~~ à son tour intervient,
Et les voilà qui se ~~trouvent~~ croisent dans le lointain.
Le jour ~~se lèvera~~ fera bientôt place à la nuit.
Et les deux amants seront à jamais réunis.

Non.

Jamais !

Je rature le mot « amants ». Si jamais Bertrand lisait ça, j'aurais tellement honte. Même s'il me trouve de son goût.

Je le remplace par le mot « personnes », que je change ensuite pour le mot « jeunes ».

« Amants » était peut-être un peu trop fort, mais « jeunes » n'est vraiment pas poétique. Allons-y, je mets « amants ».

Il est vingt et une heures trente. J'ai commencé ce poème tout de suite après le souper. Ce doit être ma vingtième version.

Au début, c'était une bonne idée. J'ai tellement de difficulté à exprimer mes sentiments. Je suis même trop gênée pour en parler à maman. La seule personne à qui je pourrais me confier est Bertrand.

Mais je ne le peux pas. Pas face à face.

Quand j'ai eu l'idée de rédiger un poème j'ai d'abord écrit quelque chose sur lui et moi, mais c'était trop évident. Ensuite, j'ai modifié les prénoms, mais ça ne disait plus grand-chose.

C'est alors qu'en regardant le ciel j'ai pensé à deux étoiles qui se rencontrent. Je suis sûre que Bertrand comprendra l'allusion poétique. Mais je n'arrive pas à donner à mon texte le romantisme voulu. C'est peut-être parce que je suis plutôt forte en maths.

Je cherche dans mon bureau une feuille de papier chic pour retranscrire mon poème.

— Sophie ! crie maman. Téléphone.

— Qui est-ce ?

— Je ne sais pas, répond-elle. Un garçon.

Je me précipite hors de ma chambre.

— Maman, dis-je à voix basse. Un garçon ou un homme ?

— Je t'ai dit que je ne sais pas, Sophie, fait-elle en riant. Quelqu'un de ton âge, probablement, mais je ne suis pas sûre.

— D'accord. Je réponds dans ta chambre.

Est-ce LUI qui m'appelle ? Mon cœur bat à tout rompre. J'essaie d'empêcher mes mains de trembler lorsque je soulève le combiné.

— J'ai pris le téléphone, maman ! Tu peux raccrocher. Allô ?...

— Salut, Sophie, fait une voix masculine. C'est moi.

— Sébastien ? dis-je en m'étouffant presque.

— Oui, Sébastien. Qui rime avec Thomas ! ajoute-t-il en riant.

— Ah ! salut.

Toute ma joie s'évanouit.

— Écoute, je t'appelle parce que Christine m'a parlé de la Danse du Printemps, à votre école.

— La Danse du Printemps ?

Je n'y pensais même plus. J'avais même oublié qu'il y avait une danse. Avec Elvire et Bertrand, il s'est passé tant de choses.

— Oui, et je me demandais si tu voulais que je t'accompagne.

Je me sens déjà mieux. Quel don Juan, ce garçon ! Ça n'allait plus très bien entre nous, et je croyais qu'il m'avait oubliée. Et je l'aime bien — *bien,* ce qui n'est pas la passion. Un peu plus et je répondais : « Bien sûr ! »

Mais je ne suis pas capable. Et si Bertrand m'invitait ?

Évidemment, nous ne sortons pas ensemble, mais je suis convaincue qu'il ressent quelque chose pour moi et, après qu'il aura lu mon poème...

— Oh ! Sébastien ! dis-je gentiment. C'est très chic de ta part, mais je suis déjà invitée.

Je déteste mentir. Et je me sens tellement coupable. Pourtant, que puis-je faire d'autre ?

— Ça va, répond Sébastien d'une voix très douce. Je tendais simplement la perche. À bientôt.

— D'accord. Au revoir.

— Au revoir.

Je raccroche et je m'étends sur le lit. Si mon plan ne fonctionne pas, j'aurai l'air d'une parfaite idiote.

Mais ça va marcher. Je vais donner mon poème à Bertrand. Lorsqu'il l'aura lu, il saura exactement ce que je ressens pour lui. S'il hésitait jusqu'ici à m'avouer ses sentiments à mon égard, ça l'aidera alors à se confier.

Je retourne à ma chambre. Je m'installe à mon bureau et je trouve du papier à lettre très spécial que je n'ai jamais utilisé, ainsi que mon stylo feutre à encre dorée. Au haut de la page, j'inscris : *À Bertrand.*

Avec ma plus belle écriture, je recopie mon poème.

Je vois deux étoiles dans le ciel d'été,
Deux étoiles faites pour se rencontrer.
Elles se déplacent, hélas, sans se voir,
Devrait-on abandonner tout espoir ?

Mais le destin à son tour intervient,
Et les voilà qui se croisent dans le lointain.
Le jour fera bientôt place à la nuit
Et les deux amants seront à jamais réunis.

Voilà. J'ai terminé. Et je dois vous admettre que je suis plutôt fière de moi. Je ne pensais jamais réussir ce tour de force.

C'est incroyable, ce que l'amour peut nous faire accomplir. Je mets mon poème dans une grande enveloppe et je la scelle (en y appliquant un long baiser).

Puis je commence mes devoirs. C'est presque l'heure du coucher, mais il faut au moins que je fasse mon travail de maths. Depuis l'arrivée de Bertrand, je n'ai jamais raté un seul problème. Je dois continuer.

Jeudi, je transporte mon poème toute la journée. J'ai même mis l'enveloppe dans une plus grande enveloppe brune, pour ne pas l'abîmer.

Je cherche à rencontrer Bertrand. Je pourrais alors lui donner mon poème, cesser d'y penser et espérer qu'il le lira avant le cours de maths.

Mais le destin n'est pas de mon côté, aujourd'hui. Je ne réussis pas à apercevoir Bertrand avant l'heure du cours.

Lorsque j'entre en classe, il me dit bonjour, comme d'habitude. Il nous donne un devoir et nous en discutons. Le cours est intéressant et amusant.

Seuls Bertrand et moi savons ce qui s'est passé hier. Il essaie de ne rien montrer, et moi aussi.

Lorsque la cloche sonne, je commence à m'interroger. Et si Bertrand n'aimait pas le poème ? Et s'il ne comprenait pas ce que je veux lui dire ? Faudrait-il un autre vers ? Y a-t-il trop de mots ?

Je sais que si je continue à tergiverser, je ne lui donnerai jamais mon texte. Alors je sors l'enveloppe de mon sac et, lorsque les autres élèves quittent la pièce, je marche directement vers le bureau de Bertrand.

Il me sourit.

— Sophie, merci mille fois de m'avoir aidé hier. La secrétaire ne me fait plus les gros yeux. Et j'espère que tu n'es pas arrivée en retard à ta réunion.

— Non, dis-je. Et ça m'a fait plaisir. En passant, je me demandais si vous vouliez jeter un coup d'œil à ceci.

Bertrand fronce les sourcils et prend l'enveloppe. Je suis pétrifiée : il l'ouvre et commence à lire le poème.

Je l'observe du coin de l'œil et je retiens mon souffle. Bertrand fronce encore plus les sourcils, puis semble se détendre.

Je vous jure, c'est impossible de décrire son expression. Il garde les yeux fixés sur mon poème. Puis, rapidement, il le remet dans l'enveloppe.

— Merci, Sophie, dit-il avec un étrange demi-sourire. C'est... heu... très beau. Mais je vais être en retard à la réunion du corps enseignant ! Désolé. À demain !

Et il sort précipitamment de la pièce.

Emportant avec lui mon pauvre cœur brisé.

Mardi

J'ai amené Elvire chez les Barrette, aujourd'hui. Bruno a tellement adoré l'expérience lorsque je la lui ai présentée le jour de son arrivée chez moi.

Ça fait 10 jours qu'Elvire est avec nous. Diane et moi l'adorons toujours, bien qu'il soit difficile de prédire ce qu'elle va faire. Nous avons même trouvé la façon de nous en occuper lorsque nous l'amenons chez nos clients. Mais ce n'est pas toujours elle qui nous crée des problèmes.

En écrivant cela, Anne-Marie s'est montrée très gentille à l'égard d'Elvire. Vous voulez la vérité ? Cette mignonne chevrette est devenue une véritable petite peste.

Elle est toujours gentille et accumule les gaffes. Mais elle a un appétit insatiable pour les ordures.

L'incident chez les Gagné n'était que le premier. Il faut admettre que son parc devient trop petit. Diane et Anne-Marie n'ont pas toujours le courage de l'y enfermer tout le temps. Elles préfèrent la laisser dans la cour, avec sa longe. Malheureusement, c'est difficile de l'éloigner des poubelles.

Monsieur Lapierre, avec son esprit pratique, a essayé de résoudre le problème en achetant de nouvelles poubelles avec des poignées qui s'enclenchent. Pourtant, Elvire a réussi à le déjouer.

Elle a donc réussi à se payer quelques repas gratuits. Certains lui semblaient même si intéressants qu'elle a senti le besoin de les *revoir* après les avoir digérés (si vous comprenez ce que je veux dire).

Et nous avons eu d'autres problèmes. Avec tant de petits morceaux de nourriture qui traînent sur le plancher de la grange, Elvire a eu une foule d'invités, allant des souris aux ratons laveurs, des écureuils aux chauves-souris, sans compter les guêpes.

Elle a réussi à découvrir des trésors dans la poubelle des Biron, cette semaine, mais les dégâts sont limités. Heureusement, les parents Biron sont aussi compréhensifs que les Gagné.

Pour résumer, disons que c'est impossible de ne pas aimer Elvire, et elle ne veut pas causer de problèmes, elle n'est pas méchante. Simplement... c'est une chèvre !

Donc, mardi (oui, cela fait près d'une semaine que j'ai remis mon poème à Bertrand, et non, il ne m'a encore rien dit à ce sujet), Anne-Marie appelle madame Barrette et lui demande la permission d'amener Elvire chez elle. Madame Barrette accepte — mais elle oublie de répéter les instructions à ses enfants.

Aussi, lorsque Anne-Marie arrive, les petits Barrette deviennent presque hystériques. Du moins, deux d'entre eux.

— Héééé ! hurle Bruno en apercevant Anne-Marie. On a de la visite !

Il court à l'extérieur en bêlant à pleins poumons.

— Qui ça ? demande Suzon en s'approchant de la porte.

On entend ensuite un autre « Héééé ! » et Suzon sort en courant, bêlant encore plus fort.

Ensuite arrivent madame Barrette et Marilou. Cette dernière, qui a seulement deux ans, n'était pas là le jour où son frère et sa sœur ont rencontré Elvire. De plus, elle ne pouvait savoir que cet étrange animal viendrait chez elle.

Marilou jette un coup d'œil par la porte, pousse un cri et se met à pleurer.

« Bon, ça y est ! » se dit Anne-Marie. Elle va sûrement être obligée de ramener Elvire à la maison, ce qui veut dire que madame Barrette devra l'attendre et sera mécontente. Et les enfants seront fâchés de voir partir Elvire. S'il y a une chose qu'Anne-Marie essaie d'éviter, ce sont les conflits.

Heureusement, avant qu'Anne-Marie n'éclate en sanglots à son tour, Marilou se calme. Madame Barrette l'amène lentement à l'extérieur en la tenant par la main, lui disant :

— C'est une chèvre, Marilou. Peux-tu dire le mot chèvre ?

— Sève, tente Marilou.

— Bêêêêê ! répond Elvire.

Marilou fige sur place, puis regarde sa mère.

— Bêêêêê ! répète-t-elle.

Quelle bonne imitation ! Bruno et Suzon éclatent de rire. Marilou semble satisfaite ; elle s'approche bravement d'Elvire, en bêlant de plus belle.

Cette fois-ci, la petite chèvre bondit de côté et regarde Marilou comme pour lui dire : « Suis-moi ! »

Marilou comprend le jeu. Elle poursuit Elvire en riant et en criant « Sève ! » Anne-Marie sait maintenant que tout ira bien.

Pendant une heure tout au moins. Puis Bruno propose :

— On pourrait l'attacher à ma voiturette.

— Non, réplique Anne-Marie.

— Voyons, on peut essayer !

— Je ne crois pas, Bruno. Elle est toute petite et...

— Youpi ! s'écrie Suzon. La voiturette est toute petite elle aussi. Je vais la chercher.

Avant qu'Anne-Marie ne puisse rétorquer, Suzon est partie dans le garage et en sort avec une voiturette rouge.

— Tu vois ?

— Alors c'est d'accord, fait Anne-Marie. Viens, Elvire.

Elle saisit sa laisse et tire la chèvre vers la voiturette. Mais Elvire préfère jouer à la poursuite avec Marilou, et

Anne-Marie est bousculée et entraînée à gauche et à droite.

Finalement, elle réussit de peine et de misère à attacher la chèvre à la voiturette.

— On pourrait demander vingt-cinq cents par balade, suggère Bruno.

— Oui ! s'écrie Suzon. Allons chercher Claire, Margot et...

— Un instant, intervient Anne-Marie. On ne sait même pas si Elvire peut tirer la voiturette. Ce n'est qu'un bébé, après tout.

— Elle est capable, je te jure, dit Bruno. Viens, Elvire. Viens me voir.

Au début, Elvire ne comprend pas vraiment ce qui lui arrive et essaie de se défaire de son attelage. Puis elle semble s'y habituer, et Marilou est désignée comme première passagère.

Peine perdue : ce poids supplémentaire est trop lourd pour la petite chèvre. Bruno a une autre idée :

— On pourrait demander vingt-cinq cents pour une photo avec Elvire.

Il court à la maison et en revient avec un appareil polaroïd.

— Bruno, dit Anne-Marie, une photo polaroïd coûte beaucoup plus que vingt-cinq cents.

— Pas de problème, réplique Bruno. J'ai la permission de prendre des photos quand je veux. Pas vrai, Suzon ?

— Oui.

Anne-Marie n'a pas le choix et accepte. Ils partent dans le voisinage, et beaucoup d'enfants sont prêts à payer vingt-cinq cents pour se faire photographier avec Elvire. Bientôt, Bruno a recueilli deux dollars.

Pourtant, Anne-Marie se demande si madame Barrette sera d'accord. En chemin, la petite troupe rencontre Charlotte Jasmin, qui a plein de nouvelles à apprendre à Anne-Marie. Elle a finalement décidé d'avouer son amour au garçon qui lui plaisait tant. Elle lui a écrit un poème !

Et quelle a été la réaction du garçon ? Il est devenu amoureux fou de Charlotte et s'est mis à lui écrire des poèmes, au moins trois par jour. Il lui téléphone le soir pour les lui réciter, et Charlotte commence à trouver tout cela un peu pesant. Elle ne sait plus si elle l'aime encore.

J'aime énormément Charlotte, vous le savez. Mais je ne peux m'empêcher de penser que ce sont toujours les mêmes qui ont de la chance.

Je ne sais plus quoi faire.

On est jeudi. J'ai donné mon poème à Bertrand il y a une semaine. Quand je suis au cours de maths, j'essaie de me concentrer, mais je n'y arrive pas.

Je n'ai peut-être pas bien compris un message, un signe, un indice. Pourquoi ne me parle-t-il pas de mon poème ? Il ne l'a pas aimé ? L'a-t-il déjà oublié ?

Il faut que je sache ce qu'il ressent. Même s'il ne ressent rien. C'est le fait de ne pas savoir qui me ronge.

Je regarde ma feuille de notes. Il y a bien quelques équations, mais partout, en haut, en bas, dans les marges et entre les lignes, j'ai écrit le nom de Bertrand, sans même m'en rendre compte.

Cela n'a plus de bon sens. À ce rythme-là, encore quelques jours et je vais être complètement marteau.

Il faut que je lui parle. Je dois lui expliquer ce que je ressens. C'est la seule façon de m'en sortir. Un poème peut être interprété de plusieurs façons. Pas une conversation directe.

Après la cloche, je reste assise et j'attends que tout le monde sorte. Il ne reste plus que Bertrand et moi. Il finit de brosser le tableau.

— Oh ! Sophie ! dit-il en se retournant. Je n'avais pas remarqué que tu étais encore ici. Désolé.

Il est si beau. J'essaie de parler, mais j'en suis incapable.

— As-tu une question à me poser au sujet du devoir ?

Je réussis à faire signe que non.

Il semble mal à l'aise.

— As-tu... un autre poème ?

— Non, dis-je d'une voix faible.

J'ai de la difficulté à avaler. Mes pensées se bousculent. Au moins, il se souvient de mon poème. Mais que signifie sa question, au juste ? Veut-il vraiment que je lui écrive un autre poème ? Espère-t-il en recevoir un autre ? Est-il en train de rire de moi ? Je ne sais plus que penser.

— Non, je n'ai pas d'autre poème, dis-je. J'en écris rarement. C'est comme si... si j'avais mis tout mon cœur dans celui-là.

Bertrand me regarde du même regard vide qu'il avait lorsqu'il a lu le poème. Je fonce :

— Vous savez, je pense sincèrement chacun des mots de ce poème. C'est au sujet de vous et moi. Au sujet de mes sentiments. Au cas où vous ne l'auriez pas remarqué, j'ai eu le coup de foudre.

Je prends une grande inspiration avant de poursuivre.

— Non, ce n'est pas ça. Je suis amoureuse de vous, Bertrand.

Ça y est. Le mot est lâché. Je me sens toute légère, soulagée.

Bertrand pâlit et hausse les sourcils. Puis il regarde le plancher.

Je n'avais pas imaginé ça. Il est étonné. Il n'avait rien vu venir. Et il ne semble pas partager mes sentiments. Tout ce temps, j'étais une bonne élève, rien de plus.

Rien.

Il faut que je sorte d'ici. Je ne veux pas qu'il me voie pleurer.

Je prends mes livres et je pars en courant.

Heureusement que je peux compter sur Claudia. Je l'ai appelée dès que je suis arrivée à la maison, et lui ai raconté mon histoire en pleurant comme un bébé. Elle est venue me retrouver, m'a fait du thé et a essayé de me distraire. J'ai de la chance d'avoir une si bonne amie.

Je me suis jurée que demain, je porterais un pantalon pour la première fois depuis deux semaines. Qu'est-ce que ça peut bien faire si monsieur Bertrand Émond préfère les robes ? Et puis je ne sais même pas s'il aime les filles en robe ou en pantalon. Ne me suis-je pas complètement fourvoyée sur ses sentiments envers moi ?

Mais ce vendredi matin, je me ravise. Je me suis peut-être trompée. Bien sûr, il a vingt-deux ans, mais ce n'est pas si vieux que ça. Tout le monde sait que les garçons deviennent matures plus tard que les filles. Peut-être est-il tout mêlé. Peut-être a-t-il de la difficulté à exprimer ses sentiments. Peut-être m'aime-t-il tellement qu'il ne peut pas trouver les mots pour le dire.

Je porte ma robe à pois, pour aller à l'école.

Quand j'entre en classe, je suis heureuse. Je me sens un peu gênée d'être passée aux aveux hier, mais je reste soulagée. Bertrand, lui, semble beaucoup plus mal à l'aise que moi. C'est à peine s'il peut me regarder dans les yeux.

À la fin du cours, avant la cloche, il annonce:

— C'était ma dernière semaine complète ici, et je tiens à vous dire que j'ai beaucoup aimé travailler avec vous.

Quelques élèves, dont moi, applaudissent.

Bertrand sourit timidement.

— Merci. Je vous enseignerai jusqu'à mercredi, et monsieur Béland reviendra avec vous jusqu'à la fin des classes. Mais je vous verrai peut-être vendredi prochain, parce que j'ai accepté d'être surveillant pour la Danse du Printemps.

La Danse du Printemps ! J'avais complètement oublié.

Quelle idiote ! Je n'ai personne pour m'accompagner. Il est hors de question que Bertrand vienne avec moi, et j'ai refusé l'invitation de Sébastien. Une fille de ma classe l'a invité, et il a accepté !

Je rentre lentement à la maison et plus tard, à la réunion du CBS, c'est à peine si j'ouvre la bouche. Je suis sûre que Claudia a expliqué aux filles ce qui s'est passé hier, car elles sont toutes très gentilles avec moi.

En fin de semaine, j'ai tout mon temps pour penser à Bertrand. Après mercredi, je ne le verrai peut-être plus jamais. Je ne saurai donc probablement jamais s'il m'aimait ou non. C'est moi qui ai avoué mes sentiments, jeudi. Il n'a rien dit. Je dois lui donner la chance de parler. On ne sait jamais ce qui arrivera.

De toute façon, je n'ai rien à perdre.

Lundi matin, je l'aperçois à l'entrée de l'école.

— Bonjour, Bertrand !

— Oh ! bonjour, Sophie, répond-il en souriant.

Il n'essaie pas de m'éviter.

— Prêt pour vos trois derniers jours ? lui dis-je.

Question stupide, mais je ne trouve rien d'autre.

— Oui, et ça va me manquer. La classe, je veux dire.

Ça va me manquer. Donc, moi aussi, je vais lui manquer. Ce sont ses mots, et j'appartiens à sa classe.

— À plus tard, dis-je.

— C'est cela, à plus tard.

Patience, Sophie. Il y a de l'espoir.

Aujourd'hui, Bertrand semble beaucoup plus détendu, durant le cours. Je lui demande de l'aide de temps en temps, et il me répond gentiment. Il me sourit même deux fois.

Mardi, les choses vont encore mieux. Je le rencontre après le dîner (pas tout à fait par hasard — je me suis arrangée pour le voir), il a un grand sourire.

— Vous avez l'air heureux, dis-je.

— Je le sais ! répond-il. Peux-tu garder un secret ?

— Et comment !

Il se penche vers moi et me dit, à voix basse :

— Monsieur Béland m'a écrit une lettre de recommandation incroyablement élogieuse.

— C'est fantastique ! Vous le méritez vraiment.

— Il faut dire que ça ne nuit pas d'avoir des élèves doués, comme toi.

— Non, non. Vous êtes un excellent professeur, c'est tout. Félicitations.

— Merci. À tout à l'heure.

— Au revoir.

Bertrand s'est confié à moi. Il m'a révélé un secret.

L'espoir renaît.

Finalement, c'est mercredi. Le dernier jour. Le jour « J ». Je ne sais pas quoi dire à Bertrand.

Je le rencontre dans le corridor.

— Bonjour, Bertrand ! Comment allez-vous ?

— Un petit peu nostalgique, un petit peu heureux, répond-il.

— Je... je ne vous verrai peut-être plus après... Je veux dire à l'école.

Pas très fort, Sophie, me dis-je.

— On ne sait jamais, réplique Bertrand, qui a l'air soudain pressé. Mais on se verra à la danse de vendredi.

Il part en courant et moi, je reste plantée là, le cœur en joie.

Oui. Oui. Tout est possible.

Possible.

Vendredi

J'ai gardé mes frères et mes soeurs hier. Avec l'aide de Diane. Tout le monde était heureux de voir Elvire. Elle est vraiment mignonne. Elle n'a peut-être pas l'étoffe d'une vedette, mais elle est amusante.
J'ai cependant un nouveau problème sur les bras : Vanessa ne veut plus devenir poète. Depuis hier, ma soeur est convaincue qu'elle devrait devenir auteure dramatique...

Vous vous souvenez que je vous avais dit que Marjorie Picard a sept frères et sœurs ? Quelques-uns d'entre eux étaient chez les Mainville le jour où Elvire s'est évadée. De toute façon, voici la tribu au grand complet :

Marjorie est donc l'aînée. Puis viennent les triplets Antoine, Bernard et Joël (dix ans). Ensuite Vanessa (neuf ans), Nicolas (huit ans), Margot (sept ans) et Claire (cinq ans).

Alors les garder n'est pas une mince affaire. C'est pourquoi Diane est venue en renfort aujourd'hui, la veille de la Danse du Printemps.

Diane n'avait pas prévu d'amener Elvire chez les Picard, parce que le simple fait de les garder est suffisant. Mais Anne-Marie garde chez les Prieur, et il est hors de question d'amener une chèvre chez eux (ils sont très guindés). La petite chèvre aurait donc passé la journée seule, et ça rendait Diane triste.

De plus, les Desroches reviennent demain, et Elvire va s'en aller. Diane veut profiter de sa présence le plus possible.

C'est ainsi qu'Elvire se retrouve chez les Picard. Comme d'habitude, les enfants sont déchaînés. Elvire, en pleine forme, joue et court avec eux.

Tout le monde a des idées :

— On va la déguiser ! propose Margot.

— On pourrait l'attacher à une voiturette, suggère Nicolas (Bruno Barrette est son ami).

— Je veux l'amener au cinéma ! s'écrie Claire.

Mais c'est Vanessa qui a la meilleure idée.

— J'ai trouvé ! Je vais écrire une version spéciale de *La Chèvre de monsieur Seguin.* Elvire sera la vedette. Et nous pourrons jouer notre pièce cet après-midi devant tous les enfants du quartier.

Tous approuvent.

— Un instant, intervient Marjorie. Es-tu sûre que tu as le temps d'écrire une pièce avant le départ de Diane ?

— Bien sûr !

— De monter une scène et d'organiser les répétitions ? ajoute Marjorie.

— Pas de problème, répond Vanessa.

— On va t'aider, propose Bernard.

— Je vais avertir les voisins, ajoute Antoine.

— Moi aussi, fait Joël.

— Nicolas et moi allons préparer la scène, annonce Margot.

— D'accord, d'accord, dit Marjorie. Diane doit quitter à dix-sept heures. Vanessa, à quelle heure ton texte sera-t-il prêt ?

— Heu... seize heures trente ?

— D'accord. Antoine, tu le diras à tout le monde ?

— Parfait ! répond-il.

Bernard, Joël et lui partent en courant répandre la nouvelle.

Vanessa va s'enfermer pour trouver l'inspiration.

Nicolas et Margot sortent des chaises de jardin du garage.

Et Claire est tout heureuse de s'occuper d'Elvire.

Diane et Marjorie surveillent le déroulement des opérations.

Margot et Nicolas cherchent une façon de fabriquer une montagne. Pour commencer, Nicolas sort un traîneau du garage, mais Margot trouve que ce n'est pas assez haut. Elle propose une échelle, mais Nicolas lui fait remarquer qu'Elvire ne pourra jamais y grimper.

Finalement, ils optent pour une petite glissoire de bois avec laquelle Claire jouait quand elle était plus jeune. Sur le dessus, il y a une plate-forme avec des poignées, où Elvire pourra s'installer.

À quinze heures trente, Vanessa sort de sa retraite, un crayon sur l'oreille et un bloc-notes à la main.

— Ça y est ! dit-elle. Je suis prête. Choisissons les comédiens. Il faut monsieur Seguin et le loup.

Tous les enfants veulent jouer un rôle.

— Attendez ! propose Diane. On peut avoir d'autres chèvres dans l'étable. Depuis que vous connaissez Elvire, vous devez tous savoir bêler comme des professionnels !

Marjorie lit le texte et trouve cette suggestion parfaite. Ainsi, tous pourront participer à la pièce. Antoine, Bernard et Joël se relaieront pour le rôle de monsieur Seguin, Nicolas sera le loup et les autres enfants, les chèvres du troupeau.

— On répète ! annonce Vanessa. Tout le monde en place.

Pendant que Diane approche Elvire de la « scène », Vanessa commence sa lecture :

— Il était une fois un gentil monsieur, qui s'appelait monsieur Seguin. Il avait un troupeau de chèvres, mais celle qu'il préférait s'appelait Blanchette. Blanchette était une petite chèvre obstinée qui détestait être attachée et rêvait d'aller dans la montagne. Monsieur Seguin lui avait pourtant expliqué que si elle se sauvait, le loup de la montagne la mangerait. Un jour, elle a réussi à s'évader et, profitant de sa liberté toute neuve, a grimpé dans la montagne. Elle était si heureuse de pouvoir bondir et gambader à son goût !

— C'est à ce moment que j'amène Elvire sur la plate-forme ? demande Diane.

— Oui. Je continue. Mais Blanchette était très volontaire et ne croyait pas ce que monsieur Seguin lui avait raconté. Pourtant, le loup, bien caché, la guettait... *Nicolas, reste bien caché sous la glissoire !* Et pendant la nuit, à la lueur de la lune, le méchant loup a sauté sur Blanchette... *Vas-y, Nicolas, mais pas trop fort.* Blanchette appelait monsieur Seguin à la rescousse, mais il était bien trop loin pour l'entendre... *Vous, les « monsieur Seguin », vous dormez.* Et le loup l'a dévorée.

La répétition se poursuit, malgré les réticences d'Elvire à se retrouver perchée sur la plate-forme. La vedette ne coopère pas vraiment au début, puis elle finit par accepter ce qu'on lui demande. De toute façon, les enfants du quartier seront si heureux de la voir, même si elle ne remplit pas son rôle à la perfection.

À seize heures trente, le public arrive. Martine et Caroline Arnaud, Jeanne et Andréa Prieur (avec Anne-Marie), Hélène et Matthieu Biron et quelques-uns des garçons Hobart. À la dernière minute, Charlotte Jasmin s'amène.

— Salut, Charlotte ! dit Marjorie. Qu'est-ce que tu fais dans le coin ?

— J'essaie de me cacher.

— Te cacher ? répète Marjorie.

— Oui, me cacher d'un garçon qui me court après. Il n'arrête pas de me téléphoner et de sonner chez moi. Il m'a même lu un poème sous ma fenêtre.

— C'est gentil ! dit Marjorie en riant.

— C'est plutôt gênant, corrige Charlotte. Il a sonné en avant, et je me suis enfuie par la porte arrière.

— Mesdames et messieurs, amateurs de chèvres de tous les âges ! proclame soudain Vanessa. Bienvenue à la première mondiale d'une pièce de Vanessa Picard, *La Chèvre de monsieur Seguin,* mettant en vedette nulle autre que la chèvre Elvire, dans le rôle de Blanchette..

Le début de la pièce se déroule assez bien. Puis Elvire prend Antoine en affection, et « Blanchette » ne veut plus quitter son maître, malgré l'attrait de la liberté. Le loup Nicolas commence à s'impatienter, caché dans sa montagne-glissoire. Le troupeau de chèvres bêle à qui mieux mieux, ce qui empêche presque le public de comprendre les dialogues.

Le moment venu, Diane souhaite désespérément d'amener Blanchette sur la montagne. Lorsqu'elle y parvient, le loup (heureux d'avoir une chèvre à se mettre sous la dent) se lève d'un bond et se cogne la tête sous la plate-forme de la glissoire. La chèvre, prise de panique, saute au bas de la montagne et part à courir. Surprise, Diane lâche la laisse. Elvire file vers le garage.

Le public se tord de rire, les bêlements du troupeau de chèvres reprennent de plus belle.

— Ma pièce ! Ma pièce ! crie Vanessa.

— Rattrapez Elvire ! hurle Diane par-dessus le brouhaha.

CRAAAAC !

— La poubelle ! s'écrie Marjorie.

Ils retrouvent Elvire qui se régale au milieu d'une

montagne... de déchets de table, que Diane ramasse avec dégoût.

— Il semble qu'Elvire ne remportera jamais d'oscar, conclut Anne-Marie.

Tout bien considéré, je crois que nous ne serons pas fâchées que les Desroches reprennent leur « bébé ».

— Je suis là, Sophie ! lance maman en arrivant.

Je range mon maquillage et je cours en bas.

— Tu n'as pas oublié ?

— Sophie ! s'exclame-t-elle en riant. Tu m'as téléphoné seulement trois fois pour me le rappeler. Pas de problème. Je l'ai suspendue dans la salle de bains.

— Merci ! lui dis-je en lui donnant un gros baiser.

C'est vendredi, une demi-heure avant la Danse du Printemps. Après l'école, maman et moi sommes allées magasiner dans le magasin où elle travaille. Comme elle a un rabais, à titre d'employée, elle a pu m'acheter une des plus belles robes que j'aie jamais vues. (Je devais filer à la réunion du CBS tout de suite après, et elle l'a gardée au bureau.)

Dans la salle de bains, j'admire ce petit bijou. C'est une robe de soie et coton qui tombe à mi-mollet, avec des motifs floraux pastel, un col évasé et une fente jusqu'au haut du genou, d'un côté.

— Je l'adore !

— Je le savais ! répond maman.

Je vais dans ma chambre et je me change. Puis je vérifie mon maquillage, je mets un bracelet et des boucles d'oreilles et j'enfile mes chaussures. Je ramène mes cheveux vers l'arrière et je les noue avec un ruban.

Je suis prête.

— À nous deux, Bertrand, dis-je à mon reflet dans le miroir.

Non, Bertrand ne m'a pas invitée à la danse. J'y vais seule.

Claudia y va avec Alexandre Benoit, Anne-Marie, avec Louis, et Marjorie, avec Benoît Hobart. Le reste d'entre nous (Jessie, Diane, Christine et moi) serons seules. L'ami de Christine, Marc Tardif, n'était pas libre.

Le plus drôle, c'est que ça ne me dérange pas du tout.

Parce que je serai libre. Libre de danser avec Bertrand, libre de lui parler.

J'ai trouvé quel était notre problème. En tant que professeur, il n'a pas le droit de sortir avec une élève. Il doit y avoir des règlements à ce sujet. Cela expliquerait son silence — j'essayais toujours de lui parler dans la classe, lorsque personne ne pouvait nous voir. Il avait peur de se faire renvoyer.

Mais l'année scolaire tire à sa fin. Bertrand pourra peut-être s'expliquer. J'essaierai de le faire parler, de découvrir ce qu'il pense. De trouver ce qui se cache vraiment derrière ces sourires ravageurs.

Mais on se verra à la danse de vendredi.

Je n'ai pas cessé de me répéter cette phrase. Il me l'a dite, à moi. Je sais que ça ne signifie peut-être rien, mais il n'était pas obligé de me dire ça. Il aurait pu dire : « On se verra en classe », comme d'habitude. Mais non. Il a spécifiquement mentionné la danse.

Bertrand a quelque chose à me dire, je le sens. Et je meurs d'impatience de découvrir ce que c'est.

Je descends au rez-de-chaussée.

— Oh ! Sophie, tu es ravissante ! s'exclame maman.

— Merci.

C'est vrai, je me sens ravissante. Et c'est une soirée magnifique. Maman vient me reconduire à l'école, et j'ouvre la fenêtre du côté du passager pour sentir la brise printanière.

L'école est éclairée et décorée de ballons et de banderoles. Des élèves sont dehors et regardent le soleil couchant.

Je dis au revoir à maman, je traverse la pelouse et j'entre dans le gymnase. Quelle transformation depuis hier ! Des jonquilles et des narcisses ornent les colonnes, des serpentins pendent aux paniers de basketball et une magnifique banderole annonce : DANSE DU PRINTEMPS DE L'ÉCOLE DE NOUVILLE.

Un disc-jockey s'affaire dans un coin, et la musique est enlevante. Des élèves ont commencé à danser.

La première du CBS que je rencontre est Jessie.

— Oh ! la la ! tu es superbe ! s'exclame-t-elle.

— Toi aussi, lui dis-je.

Jessie est sensationnelle dans un collant indigo avec un chandail à mailles lâches qui descend à mi-cuisse.

— Tiens, j'aperçois Anne-Marie près du bol à punch, dit-elle.

Je l'avais déjà vue. Un groupe de professeurs et de

surveillants se tiennent à quelques mètres d'elle. Et au centre du groupe, il y a Bertrand — en smoking.

Oui, en smoking.

Je ne sais pas si vous êtes comme moi, mais je trouve ça superbe, un smoking. Même le garçon le plus fade a fière allure, en smoking. Alors imaginez Bertrand...

Je ne peux m'empêcher de le fixer, et Jessie le remarque.

— Oh oh ! fait-elle en riant. Tu n'es déjà plus là !

— Excuse-moi, Jessie.

— Pas de problème, réplique-t-elle. Vas-y. De toute façon, Marjorie s'en vient me retrouver.

Je ne peux pas résister. Je m'approche du bol à punch, je prends un verre et j'essaie de donner l'impression que mon seul but dans la vie est de boire un verre de punch d'un rouge étrange mélangé à du soda au gingembre (la dernière chose du monde que je prendrais).

Les adultes rient entre eux de leurs blagues d'adultes, que je ne trouve d'ailleurs jamais drôles.

Lorsque le gymnase commence à se remplir, le groupe se sépare et Bertrand se tourne vers moi.

— Bonjour ! dis-je. Voulez-vous danser ?

Je n'ai pas peur. C'est ce soir ou jamais.

Et vous savez quoi ? Il n'a pas détourné le regard ou essayé de parler de maths.

— D'accord, répond-il en souriant.

Nous allons sur le plancher de danse. Une pièce de rock endiablé joue, et même le plancher vibre au rythme de la basse. Tout autour de nous, les gens dansent comme des fous — des élèves, des professeurs... Christine danse avec un de ses profs (je ne suis donc pas la seule dans mon cas). Dans un coin, une dizaine de filles dansent ensemble.

— J'adore cette chanson ! dit Bertrand.

— Moi aussi !

C'est à cet instant que je me rends compte que j'ai un autre point commun avec Bertrand. Il danse divinement. Ses mouvements sont naturels, pas exagérés. Il a le sens du rythme, mais ses pas ne sont pas trop compliqués. En fait, il semble réellement adorer la danse.

Lorsque la pièce se termine, il me dit :

— Tu danses très bien.

— Merci.

Je suis contente qu'on ait baissé l'éclairage, parce que je ne veux pas qu'il me voie rougir.

— Vous aussi, pour... pour un prof.

— Pour un prof ! répète-t-il en renversant la tête en arrière et en éclatant de rire. Tu vas voir ce que tu vas voir.

Ça y est. Maintenant, c'est lui qui m'invite. La pièce suivante est encore plus rapide. J'aurais préféré une ballade.

Nous sautons et tourbillonnons un peu partout dans le gymnase. Les lumières et les décorations deviennent une sorte de brouillard coloré. Je sens qu'on nous regarde. Je dénoue mes cheveux. Bertrand rit, et moi aussi.

Je suis au septième ciel. Je n'ai jamais ressenti rien de tel avec un garçon. Je pourrais mourir sur place et je serais heureuse.

Lorsque la pièce finit, mon cœur bat à tout rompre. Bertrand a le visage rouge, la respiration rapide, les cheveux tout ébouriffés, et il n'en est que plus beau.

— Oh ! la la ! s'exclame-t-il.

Avant que je puisse dire un mot, une élève s'approche de lui.

— Vous étiez fantastiques, tous les deux. Je peux être la prochaine ?

Bertrand sort un mouchoir et s'éponge le front.

— Bien sûr ! dit-il. Merci, Sophie.

— Merci à *vous.*

Nous échangeons un sourire. Je retourne à la table où est le bol de punch, en essayant de ne pas m'en faire parce que Bertrand danse avec une autre. Après tout, c'est une fille de ma classe, et elle peut bien danser avec lui elle aussi. Ce n'est qu'une danse.

J'essaie de retrouver mon souffle. J'aimerais avoir autre chose que ce punch ultra-sucré, mais même si j'ai soif, je n'ai pas envie de boire. Je veux être prête dès que la pièce sera terminée. Prête lorsque Bertrand viendra me chercher.

Mais il y a tellement de danseurs que je le perds de vue.

La prochaine pièce commence et, malheureusement pour moi, Bertrand entraîne avec lui une prof de sciences (célibataire, mais beaucoup plus vieille que lui).

Elle danse très bien, et Bertrand semble s'amuser comme un fou. À quelques reprises, il jette un coup d'œil dans ma direction, et je sens qu'il me cherche.

Et ce que je souhaitais se produit. Une pièce lente et romantique commence, et l'éclairage est encore plus tamisé.

Certains danseurs quittent la piste de danse. Seuls les couples sérieux restent. J'aperçois Anne-Marie et Louis enlacés.

Bertrand se dirige dans la direction opposée. Je le suis et je lui donne une petite tape sur l'épaule.

— Bertrand ?

Il se retourne.

— Ah ! Sophie.

Il semble à bout de souffle. Son visage est en sueur.

— La prof de sciences est surprenante, n'est-ce pas ? Pour un professeur !

Il sourit. Il a repris la blague que j'avais faite.

— Bertrand, voulez-vous danser avec moi ?

— Eh bien, heu... je suis un peu épuisé. On attend la prochaine pièce ?

Je le regarde droit dans les yeux.

— La prochaine ne sera peut-être pas aussi... lente.

Mais qu'est-ce qui me prend ? Ces mots sont sortis tout seuls.

Bertrand prend une grande inspiration.

— Écoute, Sophie, je crois qu'on doit se parler.

J'ai le cœur qui bat à tout rompre. Tout ce que je réussis à dire, d'une toute petite voix, c'est :

— D'accord.

Bertrand se dirige vers un endroit un peu sombre. Je le suis, les jambes flageolantes. On dirait que quelque chose va exploser en moi. Quelque chose de très heureux ou de très triste.

Lorsque Bertrand se retourne, il sourit. Mais ce n'est pas le même sourire que tout à l'heure. Pas même comme lorsqu'il me souriait pendant les cours. Je ne réussis pas à interpréter ce que signifie ce sourire.

— Sophie, dit-il, je ne veux pas que tu penses que j'ai ignoré ce que tu m'as dit la semaine dernière.

— Ah ! réussis-je à dire.

— J'ai compris ton poème, et il était merveilleux. Tu m'as pris par surprise, c'est tout. Je ne savais pas quoi dire.

— Et maintenant, vous savez quoi dire ?

— Oui.

Il respire de nouveau profondément et passe la main dans ses cheveux.

— Sophie, tu es une fille brillante, douée, jolie...

Oh oh ! je n'aime pas la tournure que ça prend.

— Mais je pense que tu as à mon égard des sentiments que je n'éprouve pas pour toi.

— C'est-à-dire ?

— Tu sembles croire que nous pouvons sortir ensemble. Nous ne le pouvons pas. Ce n'est pas que je ne t'aime pas.

— Alors, c'est quoi ?

J'ai envie de pleurer. Tout s'effondre.

Et là je comprends. Dans le fond, je le savais depuis le début.

— Vous avez une... amie ? Non, je sais. Vous êtes marié.

— Ni l'un ni l'autre, répond Bertrand en secouant la tête. C'est simplement que... Écoute, Sophie, tu as treize ans. Tu n'es plus une petite fille, mais tu n'es pas en âge de t'engager avec un adulte.

— Mouais, je comprends.

Bertrand me regarde avec une réelle chaleur dans ses yeux. Je ne peux pas lui en vouloir, même s'il me brise le cœur.

— Parfait. On peut être amis ?

J'essaie péniblement de sourire.

— Bien sûr. Merci de m'avoir parlé. Je vais aller boire quelque chose.

— D'accord. Alors au revoir, Sophie. Merci pour les danses.

— Oui, c'était amusant. Au revoir.

En m'éloignant, j'essaie de me contrôler. Pas parce que je crains d'éclater en sanglots devant tout le monde. Je veux simplement rester et profiter de la soirée.

Je prends un verre de punch. J'ai l'impression d'avaler du papier émeri. À travers le nuage de larmes qui obscurcit mes yeux, j'aperçois Sébastien et son amie. Le garçon qui aurait pu m'accompagner. Un garçon très beau, très gentil et surtout amusant, qui a quinze ans — et qui m'aimait.

J'aperçois aussi Bertrand, au milieu d'un groupe de professeurs. Aucun élève n'est avec eux. Il semble tellement à l'aise. Comment ai-je bien pu croire que... ?

Cette question m'occupe pendant le reste de la soirée. Quand je discute avec des amis, j'oublie tout, mais pas longtemps. Alors j'essaie de rencontrer plein de gens et de danser le plus souvent possible.

Dès que je me retrouve seule, la question revient. À la fin de la danse, c'est comme si une tonne de briques me tombait sur la tête. Pourquoi, mais pourquoi ?

Je quitte l'école sans même jeter un regard à Bertrand Émond. J'ai l'impression d'avoir le cœur en lambeaux.

Dehors, l'air frais m'aide à reprendre mes esprits. Maman devrait bientôt venir me chercher. Je regarde le ciel étoilé et je pense à mon poème.

Et là, dans l'obscurité de ce ciel sans lune, j'éclate en sanglots.

Samedi, je vais chez Diane et Anne-Marie. Les Desroches vont revenir de voyage et reprendre leur chèvre.

J'avoue qu'Elvire n'occupe pas toutes mes pensées, ce matin. Je suis une loque humaine. Je n'ai pas envie de me lever, je voudrais rester au lit toute la journée.

En marchant sur le trottoir, je repense à la soirée d'hier. Je n'arrive pas à croire combien j'ai été naïve. Je me sens tellement idiote.

J'espère qu'Elvire m'aidera à chasser ces idées noires.

Diane et Anne-Marie sont dans la cour, avec Marjorie, Christine et des enfants du voisinage. Tous sont rassemblés autour de quelque chose — Elvire, j'imagine. Et tous rient de bon cœur. La banderole BIENVENUE, ELVIRE ! a été décrochée et remplacée par une autre où on lit : TU NOUS MANQUERAS, ELVIRE !

— Salut ! dis-je.

Mes amies se tournent vers moi et j'entends un fort bêlement. Elvire se met à courir vers la grange.

Elle porte un bonnet et à sa queue est attachée une boucle de ruban rouge.

— Elvire ! Reviens ! crie Diane. On n'a pas fini.

— Bêêêêê ! fait Elvire en essayant péniblement de retirer le bonnet.

— Non ! crie Anne-Marie.

Tout le monde court après Elvire et essaie de la convaincre de collaborer. Mais rien n'y fait. En moins de temps qu'il ne faut pour le dire, le bonnet se retrouve sur le sol, tout sale et déchiré.

— Tant pis ! dit Christine.

Les petits perdent intérêt à la chose et retournent chez eux.

Je m'installe sur la pelouse et j'observe Elvire. Anne-Marie lui apporte un biberon.

— C'est l'heure du repas, ma belle !

Elvire bondit vers Anne-Marie, qui la prend dans ses bras et s'assoit sur le perron. Et... et elle se met à pleurer.

— Ça va ? lui dis-je.

— Oui, répond Anne-Marie en reniflant. C'est juste... c'est juste que c'est le dernier biberon que je lui donne.

— Voyons, Anne-Marie.

Je m'assois à côté d'elle et je mets un bras autour de ses épaules. Ça fait du bien de consoler quelqu'un.

Jessie, Claudia et Louis viennent nous rejoindre. Louis, prévoyant, a apporté une boîte de mouchoirs de papier.

Claudia, elle, a apporté un sac plein de friandises. Mais pas pour nous. Pour notre invitée d'honneur.

Elvira adore les croustilles, les chocolats et les bonbons au beurre d'arachide que Claudia lui tend.

Monsieur Lapierre et madame Dubreuil nous ont préparé des sandwiches. Nous nous installons à la table de pique-nique et discutons entre deux bouchées. Bientôt, un klaxon retentit.

— Bonjour !

La camionnette des Desroches est arrivée. Je sens qu'Anne-Marie a l'estomac noué.

Madame Desroches descend et sourit :

— Où est mon bébé ?

— Bêêêêê !

Elvire sort de dessous la table de pique-nique. Lorsqu'elle aperçoit madame Desroches, elle s'arrête net et on croirait un moment qu'elle va s'enfuir.

Mais non ! Elle pousse un énorme bêlement et saute littéralement dans les bras de madame Desroches. Monsieur Desroches vient retrouver sa femme et arbore un large sourire

— Oh ! mais c'est une grande fille, maintenant !

— Quels délices lui avez-vous donc donné à manger ? demande madame Desroches.

Vous ne seriez peut-être pas contente de le savoir, me dis-je.

— Et c'est si gentil à vous d'être tous ici. Quelle banderole magnifique ! Je ne sais pas comment vous remercier, Anne-Marie et Diane. Vous a-t-elle causé des problèmes ?

— N... n... n... bégaie péniblement Anne-Marie, en reniflant.

— Elle veut dire « Non, pas du tout », explique Diane. Elvire a charmé tous les gens du quartier.

— Je n'en doute pas, dit monsieur Desroches en riant.

Et je suis sûr qu'elle a dû dévorer les ordures de tout le monde.

Nous éclatons de rire.

J'aperçois Charlotte qui entre dans la cour et je lui fais signe de venir nous retrouver.

— Encore une fois, mille mercis, dit madame Desroches. Vous êtes tous et toutes invités à venir à la ferme quand vous voulez, pour voir Elvire et les autres animaux.

Lorsque les Desroches retournent à la camionnette, nous leur disons au revoir. Ils installent Elvire et tous les objets qui lui appartiennent, puis ils repartent.

Anne-Marie est littéralement en larmes. Elle a déjà passé à travers la moitié de la boîte de mouchoirs de papier.

Je la comprends. Moi aussi, en voyant la camionnette s'éloigner, emportant notre petite protégée, j'ai le cœur gros.

Charlotte met sa main dans la mienne.

— Sophie, devine ce qui m'arrive, dit-elle en souriant.

— Quoi ?

— Le garçon, tu sais, celui qui me lisait des poèmes au téléphone, eh bien, il ne m'agace plus.

— Félicitations ! Qu'est-ce qui s'est passé ?

— Il a fini par comprendre qu'il ne m'intéressait plus. Il est devenu amoureux d'une autre fille.

— Tout est bien qui finit bien ! C'est difficile de comprendre les garçons, tu ne trouves pas ?

— Pas tant que ça, répond Charlotte. Ce sont des idiots. Ça ne vaut même pas la peine de penser à eux.

Elle a raison, cette petite. J'aurais dû y réfléchir il y a quelques semaines.

Je joue un peu avec elle, puis je rentre chez moi aider maman à faire le ménage. Claudia m'accompagne. Elle sait ce que je ressens.

Nous n'avons pas discuté depuis la danse, alors je lui raconte toute l'histoire.

Lorsque j'ai terminé, elle secoue la tête et dit :

— Tu sais, tu n'as rien fait de mal, Sophie.

— Tu crois ?

— Je te jure. Ce n'était pas de ta faute. Tu ne pouvais pas refouler tes sentiments.

Je fixe le sol.

— Je pense que je l'aimais, Claudia. Pour vrai.

Claudia reste silencieuse quelques instants.

— Au moins, tu es passée à l'action. Tu lui as dit ce que tu ressentais, tu as réglé le problème. Ç'aurait été pire si tu avais gardé tout ça pour toi.

— Mais pourquoi ça doit se passer comme ça, l'amour ? Si on ne dit rien, c'est horrible, et quand on l'avoue, c'est pire.

— Pas toujours, Sophie, dit doucement Claudia. Tout le monde finit par devenir amoureux, mais ça ne marche pas tout le temps ou avec la personne qu'on souhaiterait. C'est ce qui t'est arrivé.

— Je crois que, parfois, l'amour fait mal, dis-je en soupirant.

— Oui, acquiesce Claudia. Je le crois aussi.

Nous faisons le reste du chemin en silence. Et c'est très bien. Elle me comprend.

Quelques notes sur l'auteure

Pendant son adolescence, ANN M. MARTIN a gardé beaucoup d'enfants, à Princeton, au New Jersey. Maintenant, elle ne garde plus que Mouse, son chat, qui vit avec elle dans son appartement de Manhattan, dans le centre de New York.

Elle a publié plusieurs autres livres dans la collection *Le Club des baby-sitters*.

Elle a été directrice de publication de livres pour enfants, après avoir obtenu son diplôme du Smith College.

Dans la même collection

1. Christine a une idée géniale
2. De mystérieux appels anonymes
3. Le problème de Sophie
4. Bien joué Anne-Marie !
5. Diane et le trio terrible
6. Christine et le grand jour
7. Cette peste de Josée
8. Les amours de Sophie
9. Diane et le fantôme
10. Un amoureux pour Anne-Marie
11. Christine chez les snobs
12. Claudia et la nouvelle venue
13. Au revoir, Sophie, au revoir !
14. Bienvenue, Marjorie !
15. Diane... et la jeune Miss Nouville
16. Jessie et le langage secret
17. La malchance d'Anne-Marie
18. L'erreur de Sophie
19. Claudia et l'indomptable Bélinda
20. Christine face aux Matamores
21. Marjorie et les jumelles capricieuses
22. Jessie, gardienne... de zoo
23. Diane en Californie
24. La surprise de la fête des Mères
25. Anne-Marie à la recherche de Tigrou
26. Les adieux de Claudia
27. Jessie et le petit diable
28. Sophie est de retour
29. Marjorie et le mystère du journal
30. Une surprise pour Anne-Marie
31. Diane et sa nouvelle sœur
32. Christine face au problème de Susanne
33. Claudia fait des recherches
34. Trop de garçons pour Anne-Marie
35. Mystère à Nouville
36. La gardienne de Jessie
37. Le coup de foudre de Diane
38. L'admirateur secret de Christine
39. Pauvre Marjorie !
40. Claudia et la tricheuse
41. Est-ce fini entre Anne-Marie et Louis ?
42. Qui en veut à Jessie ?
43. Une urgence pour Sophie
44. Diane et la super pyjamade
45. Christine et le drôle de défilé
46. Anne-Marie pense encore à Louis
47. Marjorie fait la grève
48. Le souhait de Jessie
49. Claudia et le petit génie

50. Le rendez-vous de Diane
51. L'ex-meilleure amie de Sophie
52. Anne-Marie en a plein les bras
53. Un autre poste de présidente pour Christine?
54. Marjorie et le cheval de rêve
55. La médaille d'or pour Jessie
56. On ne veut plus de toi, Claudia
57. Diane veut sauver la planète
58. Le choix de Sophie
59. Marjorie, le sport et les garçons
60. La nouvelle Anne -Marie
61. Jessie et le terrible secret
62. Christine et l'enfant abandonné
63. Le ~~jeune~~ jeune ami de Claudia
64. Diane et la querelle de famille

À paraître

n°66
ANNE-MARIE, BONNE À TOUT FAIRE

Anne-Marie aime coudre. D'ailleurs, madame Taupin, une voisine âgée, lui montre une foule de petits trucs en couture.

Malheureusement, madame Taupin est victime d'un accident. Anne-Marie lui propose alors de l'aider. Le seul ennui, c'est que cette vieille dame exige beaucoup d'Anne-Marie.

Comment la douce Anne-Marie va-t-elle s'en sortir sans faire trop de peine à sa voisine âgée?